〈新版〉

子育てとケアの原理

Principles of
Child-rearing and care

望月雅和 編著

西村美東士・金髙茂昭・安部芳絵
吉田直哉・秋山展子・森脇健介・鈴木淳子 著

北樹出版

はじめに

　「子育て」や「ケア」というと何をイメージするだろうか。小さい子どもを育てること、遊ぶこと、あるいは傷ついた他人に尽くして助けていくような状況が見出せるかもしれない。しかし現在、子育てとケアのトピックは、こうしたプライベートな状況だけでなく、社会の最重要の課題の1つとなって、政策、経済、そして、専門職である保育士、幼稚園教諭、認定子ども園の保育教諭、カウンセラー、教師等という幅広い領域へと急速に広がりをみせている。

　本書は、「子育てとケア」の原理をテーマとし、本書一冊で保育者養成、子育てとケアのプロフェッショナルな教科、一般読者にも対応できるよう準拠して作られた教科書、参考書である。さらに、数多い関連分野のテキストとは異なる本書独自の観点を持っている。これまで、多くの専門職に対応したテキストでは、専門区分けした科目ごとに構成されていた。たとえば、教育原理、福祉関連、相談援助、法学等の科目の分野である。これらは個別できわめて重要であり、この科目を学ぶ意義があるのは当然である。しかし、バラバラに学ぶことにより全体的なつながり、総合的で関連した学習が難しいという側面があった。とくに私自身、実際に教育にかかわり思うのは、ケアの原理的な学びと、カウンセリング等の科目が別々に配置されて、1つのテキストで教えることが困難なことであった。確かに、法学や教育制度の学びが重要であることは明確であるが、この意義を初学者が現場や実践、実習の中でイメージして、活動を広げていくのは容易なことではないであろう。

　本書は、こうした学びの区分けの弊害をできるだけ少なくし、幅広い学際的な学びを一冊の中でとらえることができるよう配慮したテキストである。折しも今日では、保育者養成分野で不可欠な学びの資料となる3法令、『幼稚園教育要領』、『保育所保育指針』、『幼保連携型認定こども園教育・保育要領』の総合的な理解の促進が希求されている。これまでは教育系の幼稚園、社会福祉系の保育園という行政的な区分から、総合的に子育てとケアをとらえようとする

3

潮流が見出せるのである。このような合科的で関連的な学びの意義は、広い意味で教育を学ぶ際にも重要といえよう。本書は、新しい教育の理念へ先駆の1つとなることを願い構想した。こうした観点から本書では、出版企画の当初から大学、短大、専門学校における複数科目でテキスト採択を予定してきた。具体的には、「教育原理」、「社会福祉」、「児童家庭福祉」、「地域福祉」、「教育相談」、「生涯学習概論」、「教育制度論」等の教科である。さらに、学際的な教育系の科目、「子ども支援実践論」等に準拠するよう配慮してきた。なお、本書の実際の使用にあたっては、さまざまな領域の学びの可能性が広がっているため、教員の裁量により各科目のシラバスや方針に合わせ、現場の状況、人物のケース（事例）、他の書籍や参考書、インターネット、関連のキーワード、映像や動画等を自由に組み合わせ、より連携して本テキストを使用し探求や省察ができるようにと願っている。

　ここで謝辞を記したい。まず出版状況が厳しい中、本書の理念に共感し尽力を頂いた北樹出版の木村慎也様に深く感謝する。北樹出版といえば大学等のテキストで数多くの優れた実績があり、私自身も本出版社の教科書で学んできた。私は、この出版社から新進の企画が出版できる喜びを感じている。

　加えて、本企画当初からご教授を仰いだ髙橋貴志先生（白百合女子大学教授／日本保育者養成教育学会事務局長／日本子育て学会常任理事）に深く感謝をしたい。また、日本子育て学会の研究プロジェクト推進委員会「教育とケアの学際的研究」の一部としても本出版企画を連動的に進めており、当学会の関係者に感謝を記したい。最後に、貴重な時間を割いて、大学教師・研究者として第一線の活動をしながら本企画に参画をしてくださったすべての先生方に衷心より感謝を申し上げる。

　本書によって、子育てとケアの学びが深まり広がっていくことを念願している。

望月雅和

新版の刊行によせて

　『子育てとケアの原理』の初版を刊行後、数多くの学生、関係者に迎えられたこと感謝に堪えない。編著者の私としては、これまでの20年を超える学術経験の格別な成果として本書がある。その強い思いは「新版」としての刊行となった。本書の理念は、初版と同様だが特に以下の3点を記しておきたい。

1　生命、人間の尊厳、人権の擁護についての哲学的、実践的な学びの重視である。

　現在、「子どもの虐待」、「自殺」といった生と死の問題が身近な場所で散見される。虐待やいじめ、暴力といったことが、親密な関係だからという理由で、無法的に行われるのは決して許されない。法的な生命擁護の視点も含めた、重厚な生命の学びをと願った。

2　相談援助、相談支援の重視である。特に新版では、「教育相談と子どもの発達」の章を設けて、広い意味での相談、キャリア支援の視点を充実させた。福祉心理等の相談援助は、保育士や教師という専門職のみならず、生活や家庭等でも重要性が叫ばれて久しいが、将来にかけても一層に重要になると考える。

3　深い学びと実践の重視である。近年は、「主体的・対話的で深い学び」がいわれるが、本書では、たとえば、人権の擁護の明記のみならず、権利の主体、ケアの主体と客体、人間の尊厳とは、そもそも何かという哲学的な記載まで及んでいる。読者の想定としては、実践的な保育者養成（保育士・幼稚園教諭）の学生を大切にしているが、加えて、大学学部から大学院まで各レベルに合わせて分散的、実践的にテキストが利用できるように、さらに注力した。

　本書ができるまで、数多くの先生方、読者に直接、間接に影響を受けてきた。著者の先生方はもとより、ご関係の先生方、読者に深く感謝したい。

　最後に、学生や読者が本テキストから、少しでも学びの材料を得ることを心より祈りたい。

望月雅和

目　次

第1章　教育の意義と目的 ··14

第1節　教育における指導と支援──子どもの権利条約の視点から ··············14

1. 国連子どもの権利条約　14
2. 子どもの権利行使と親の指導の尊重　16
3. 教育における指導の内実とその目的　17
4. 適当な指示・指導とは具体的に何を示すのか　18

第2節　子どもの権利を活かした子ども・子育て支援 ·······················19

1. 子どもの育ちと子育ての現在　19
2. 子どもの声を聴くことの難しさ　20
3. 体罰の禁止へ　21
4. 支援者は子どもの声をどう聴くか　22

第3節　支援者の専門性とゆらぎ ·······································24

1. 支援者のゆらぎ　24
2. ゆらぐことのできる力とゆらがない力　25
3. 省察的実践者としての子ども支援専門職　26
4. どのようにふりかえるか　27

第4節　SDGsと子どもの権利 ·······································29

1. 新学習指導要領と「持続可能な社会の創り手」　29
2. SDGsと人権　30

3．ESD の実施と子どもの権利　32

　4．学校に子どもの権利条約を　33

　コラム①「コロナ禍における子育てとケア─子どもの声と気持ちに向き合う」　34

第2章　教育の思想と歴史 ……………………………………………………37

第1節　近代化の過程と〈教育〉の誕生 ………………………………37

第2節　西欧の教育思想の展開 ………………………………………42

　1．近代教育思想の共通点　42

　2．近代教育の思想家　44

　　（1）コメニウス　（2）ロック　（3）ルソー　（4）カント　（5）ペスタロッチ

　　（6）フレーベル　（7）ヘルバルト　（8）モンテッソーリ　（9）デューイ

　　（10）ブルーナー

第3章　対人援助と相談援助
　　　　──カウンセリングとソーシャルワークへの招待 ………………57

第1節　人を理解するための視座や立場 ……………………………57

　1．対人理解の情報の窓口と入り口　58

　2．対人理解の立場　59

　3．人のどこを「みる」「きく」とよいか　60

　　（1）身体（体）　（2）精神（心）　（3）環境　（4）生活の仕方（暮らしぶり）

　4．人をより正確に理解するための具体例　61

　5．精神（パーソナリティ）を理解するにはどうするか　62

第2節　相談の仕事と対人支援 ………………………………………63

　1．「相談」の仕事の概要　63

　2．心理カウンセリングとは　64

　3．カウンセラーやソーシャルワーカーの選定　65

　4．カウンセラーとソーシャルワーカーの役割の相違点　66

　　（1）心理相談業務（カウンセラーの仕事）　（2）福祉相談業務（ソーシャルワーカーの仕事）

　5．相談援助業務の心得・心構え・作法　68

　　（1）ロジャーズの3提唱　（2）バイステックの7原則　（3）イーガンの援助モデル

目 次　7

第3節　対人支援の方法 ………………………………………………………… 72

1. 支援方法の分類　72
　　（1）物質的支援（物理的支援）　（2）法的支援　（3）心理的支援
2. 自己決定とインフォームド・コンセントの意義　73

第4章　教育相談と子どもの発達 ……………………………………… 76

第1節　教育相談とは ……………………………………………………………… 76

1. 教育相談の役割　77
2. 教育相談の特質　77
3. 教育相談の意義　78

第2節　教育相談の3つの支援方法 ………………………………………… 79

1. 指示的方法　79
2. 非指示的方法　80
3. 折衷的方法　80

第3節　教育相談に必要な知識 ………………………………………………… 81

1. 子どもの発達と課題　81
　　（1）小学校低学年　（2）小学校中・高学年　（3）中学生　（4）高校生
2. 学校不適応問題　83
　　（1）不登校　（2）虐待　（3）いじめ　（4）学校不適応問題の要因
3. 発達障がい　89
　　（1）自閉スペクトラム症（ASD）　（2）学習障害（LD）　（3）注意欠如・多動
　　症／注意欠如・多動性障害（ADHD）

第5章　教育制度と社会福祉法制論——法と人権の尊重のために ……… 92

第1節　「法」と「規範」 …………………………………………………………… 92

第2節　日本の法体系 …………………………………………………………… 94

1. 憲　法　95
2. 法　律　95
3. 命　令　96
4. 条　例　96
5. 条　約　97

第3節　憲法と立憲主義 ………………………………… 97

1. 近代憲法とは何か　97
2. 立憲主義と法の支配　98
3. 人権思想と近代国家　99
4. 自由権と社会権　101

第4節　教育と社会福祉の制度 …………………………… 103

1. 教育にかかわる制度の歴史　103
2. 社会福祉にかかわる法律――社会福祉六法　107
   (1) 生活保護法　(2) 児童福祉法　(3) 身体障害者福祉法　(4) 知的障害者
   福祉法　(5) 老人福祉法　(6) 母子及び父子並びに寡婦福祉法

第5節　保育指針・教育要領と個人の尊厳 ……………… 112

コラム②「フェミニズムとジェンダー」　115
コラム③「権利主体」　116

第6章　児童福祉と地域福祉をめぐって
――学校・家庭・地域社会との連携 ………119

第1節　子育てに関する地域福祉理解 …………………… 119

1. 社会福祉をめぐる基本理念と子ども・子育て支援法　120
   (1) ノーマライゼーション　(2) ソーシャル・インクルージョン　(3) 子ど
   も・子育て支援法の基本理念
2. 地域福祉に関する事業と関連機関等　121
   (1) 社会福祉事業　(2) 社会福祉法人　(3) 社会福祉協議会　(4) 福祉事務
   所　(5) 児童相談所

第2節　家庭支援の意義と概略 …………………………… 122

1. 家庭をめぐる環境の変化　122
2. 地域の子育てを支援する事業の開始　123

第3節　児童福祉の施設分類 ……………………………… 124

第4節　子どもの居場所 …………………………………… 126

1. 健全育成　126
2. 放課後支援事業　127
   (1) 放課後児童健全育成事業　(2)「放課後児童クラブ運営方針」の策定
   (3) 放課後子ども教室推進事業　(4) 放課後子ども総合プラン　(5) 学校・

家庭・地域の連携協力推進事業 （6）今後の放課後支援

第5節　児童館 ……………………………………………………………………… 131

1．児童館の目的　131

2．対象と設置数　132

3．児童館の設置と職員　132

4．児童館の種類　132

5．児童館に求められる役割　132

6．中・高校生の利用者　134

第6節　ボランティア・NPO・民生委員 ……………………………………… 135

1．ボランティア　135

2．NPO（民間非営利団体）　135

3．民生委員　137

第7節　世代間交流 ……………………………………………………………… 138

1．世代間交流とは　138

2．日本における世代間交流　139

コラム④「地域活動事例を通してみる連携」　142

第7章　生涯学習と市民参加 …………………………………………………… 144

第1節　個人の生涯を輝かせる学習のために ……………………………… 144

1．主体的な学習とは　145

2．教育目標と教育評価——生涯のキャリア形成への学び　146

第2節　生涯学習の基本理念 …………………………………………………… 148

1．職業の場の生涯学習とキャリア支援——学校内外でのケア　148

2．インテグレートの概念：時間的統合と空間的統合　150

3．「持つため」から「存在するため」、「共に生きるため」の学習への転換　151

4．生涯学習理念を支える社会教育の役割　153

5．学校中心の教育観からの脱皮と生涯学習体系への移行　154

第3節　生涯学習とキャリア教育の未来像 ………………………………… 158

1．ICTと教育　158

2．市民参加とシティズンシップ　160

3．まちづくりへの子どもと親の参画　161

第8章　教育とケアの学びへ──実践のための探求と省察 ……………164

第1節　対人援助と実践の学び ……………………………………… 164

1. 人を助けたいと思うこと　164
2. 社会福祉とケアの交差する領域　165
3. ケアの本質と人徳？──自分と相手を見つめ直す　168

第2節　子育てとケアにおける対人援助の実践と反省 ……………… 170

1. 対人援助の学びと実践の問い直し　170
2. ケアのカリキュラムにおける断絶と総合　172

第3節　ケアの学びと対人援助原理 …………………………………… 176

1. ケアにおける学びの反省／実践行為を中断すること　176
2. 当事者への対人援助の学びと省察　178

第4節　生きることとケア／実践を省察するために …………………… 182

新版

子育てとケアの原理

Principles of
Child-rearing and care

Chapter 1

教育の意義と目的

第1節 教育における指導と支援
——子どもの権利条約の視点から

1. 国連子どもの権利条約

国連子どもの権利条約（以下、条約）は、子どもにとって一番よいことをしようという国同士の約束事である。1989年に国連総会において全会一致で採択され、日本政府は1994年に批准した。締約国は196の国と地域におよぶ（2021年11月現在）。締約国の多さは他の人権条約を凌駕しており、このことから条約は、子どもに関するあらゆることを計画・実施していく際の基準となる、いわば「ものさし」であるといえる。条約の重要性は、平成28年の改正児童福祉法にも反映された。この改正では、児童の福祉を保障するための原理の明確化を目的として、**改正児童福祉法**第1条・第2条に子どもの権利条約が明記された。具体的には、子どもが権利行使の主体であること、子どもの意見が尊重され、最善の利益が優先して考慮されて国や自治体、保護者が子どもを支える

14

という形で福祉が保障される旨が明確化されたのである。

　保護の客体から**権利行使の主体**へ、これは、条約が世界にもたらした最も大きな変化である。たとえば、第3条では「**子どもの最善の利益**」を定めている。条約ができるまではおとなが決めていた。ところが、おとなのよかれが必ずしも子どもにとって一番よいことをもたらすわけではない。そこで、条約では第12条に「**子どもの意見の尊重**」が規定されている。これはつまり、子どもにとって一番よいことを決めるときに、おとなが勝手に決めるのではなく、まず子どもの声を聴くことを示している。子どもにとって一番よいことは、子どもの意見を聴いて、おとなと一緒に決めていきましょう、というのが子どもの権利条約がもたらした大きな転換といえる。

　子どもの声、といったとき、赤ちゃんはどうだろうか。赤ちゃんは、理路整然と意見を言うことはできないから、子どもの意見の尊重は考えなくてよいのだろうか。これに対し、国連は興味深い指摘をしている。「泣き声等も子どもの意思の表明」（国連子どもの権利委員会「乳幼児期における子どもの権利の実施」に関する一般的討議、2004年）であり、子どもの意見だけでなく「気持ち」も尊重すべきである（国連子どもの権利委員会一般的意見第7号、2005年、パラグラフ14）というのだ。つまり、赤ちゃんであっても意見表明の主体として尊重していくことが求められるのである。この指摘は、赤ちゃんだけでなく意見を言いにくい状況にある子どもたち全般を考える際にも参考にできる。親や教師が「何か言いたいことがある？」と尋ねたとき、心の中では言いたいことがあるのに口に出して言えなかったことはないだろうか。どうせ言っても無駄だろう、でも本当は言いたいことがある、この気持ちに気づいてくれないかな……。

　子どもには権利がある、それだけで子どもの福祉は保障されない。子どもは、生まれながらにして権利行使主体ではあるものの、周囲に支えられて育ちゆく存在である。だからこそ、幼稚園教諭・保育士、保育教諭といった子ども支援者の存在が決定的に重要であり、日常の支援行為ひとつひとつに条約を活かしていくことがポイントとなる。つまり、子ども・子育て支援者が、現場で子どもに声をかけるとき、連絡帳に記入するとき、年間指導計画を考えるとき、行

第1節　教育における指導と支援──子どもの権利条約の視点から　*15*

事の装飾をつくるとき、それらすべてにおいて、条約はその指針となるべきものである。

　それでは、支援者のどのようなかかわりが、子どもの主体性を尊重したものといえるのであろうか。次に、**親の指導の尊重**を規定した、子どもの権利条約第5条を起点に、子ども支援者のかかわりを読み解いていく。

2. 子どもの権利行使と親の指導の尊重

　子どもの権利を尊重したヒントとなるのは、条約第5条である。

（子どもの権利行使と親の指導の尊重）
　　第5条　締約国は、親、または適当な場合には、地方的慣習で定められている拡大家族もしくは共同体の構成員、法定保護者もしくは子どもに法的な責任を負う他の者が、この条約において認められる権利を子どもが行使するにあたって、子どもの能力の発達と一致する方法で適当な指示および指導を行う責任、権利および義務を尊重する。

　　Article5 States Parties shall respect the responsibilities, rights and duties of parents or, where applicable, the members of the extended family or community as provided for by local custom, legal guardians or other persons legally responsible for the child, to provide, in a manner consist with the evolving capacities of the child, appropriate direction and **guidance** in the exercise by the child of the rights recognized in the present Convention.

（※下線は筆者）

　第5条を読むと、親等による**指示・指導**とは、「子どもの権利条約に定められた権利を、子どもが行使する」という前提に立っていることがわかる。これは言い換えれば、子ども自身が権利行使の主体であることを認めたものであり、その上で子どもが権利を行使するための適当な指示・指導について定めたもの

といえる（Hodgkin & Newell, 1998）。

　これに関して喜多は、「このように子どもの意見表明権や市民的自由の行使にさいしては、親・保護者その他の子どもに法的責任を負う者の指導権がともなってはじめて完結する、とみるのが条約の正しい読み方」であり、だとするならば「子どもの権利行使に対する指導者の教育責任は大へん重たいものとなる」と指摘した。そして、子どもを指導するためには、それにふさわしい指導の力量とそのための教育条件および教育の自由が確保されなければならないと論じている（喜多、1990：34）。

　子どもの権利条約に定められた権利を、子どもが行使するようになるためには、子どもの発達に任せているだけでは不十分である。子どもが権利行使の主体であることを前提とした上で、子ども・子育て支援者による適当な指示・指導とそれを可能とする教育条件と教育の自由が一層重要となる。

　それでは、子どもが自ら権利行使ができるようになるための適当な指示・指導とは具体的にはどのようなものであろうか。

3. 教育における指導の内実とその目的

　第5条をもう一度見てみよう。第5条では、direction が「指示」、**guidance**が「指導」と訳されていることがわかる。**デューイ**（John Dewey）は、『**民主主義と教育**』（1916）の第3章で、direction, control, guidance の3つの言葉を用いており、日本語訳はそれぞれ「指導」「統制」「補導」である。

　子どもの権利条約第5条が言及している「指導」の原文である「guidance」は、デューイが「**補導（guidance）**」として説明するものである。ここでは、guidance は「生まれつきの能力を共同作業を通して助けるという観念をもっともよく表す」のであり、権利行使主体としての子ども観に根差していたといって差し支えないだろう。そのため「指導」という語は、いま現在のイメージとは少し異なるといってよい。教育学においても根源に立ち返った意味のとらえなおしが必要であろう。

　以上のことから、第5条に規定された親による「指導」とは、子どもの権利

条約に定められた権利を、子どもが権利行使するという前提に立つものであり、子どもの側に決定のイニシアチブがあること、「指導」の中心に子どもをおくことの必要性を示している。

つまり、権利行使における guidance は、実質的には被支援者である子どもの意図に沿うように指導者の行為を変える必要性を示しており、guidance が「指導」と訳されようとも実質的には「**支援**」を意味する。

子どもを取り巻く環境と課題の複雑化・多様化に鑑みても、保育士・幼稚園教諭・保育教諭に求められる「指導」が、実質的には「支援」を意味することは、非常に納得がいく。支援とは、支援者がやりたいことを押しつけることではない。被支援者、つまり子どもからのフィードバックを常に得ながら、子どもの最善の利益にかなうように自らの支援行為を変えていくことである。

4. 適当な指示・指導とは具体的に何を示すのか

親や支援者からの適当な指示・指導（その内実は支援）を考える時、具体的には何をもって適当と呼ぶのであろうか。第一に、体罰は適当な指示・指導とは言えない。国連子どもの権利委員会は一貫して子どもへの暴力を否定している。

次に、子どもの意見表明・参加（12条）を踏まえたものでなければならない。国連子どもの権利委員会は、第5条と12条の関係に関して「子ども自身の知識、経験および理解力が高まるにつれて、親、法定保護者または子どもに責任を負うその他の者は、指示および指導を、子ども自身の気づきを促すための注意喚起およびその他の形態の助言にそしてやがては対等な立場の意見交換に、変えていかなければならない」と述べている（一般的意見12号、2009、パラグラフ84）。

最後に、子どもの権利条約の一般原則に即したものでなければならない。一般原則とは、第12条のほかに、第2条「**差別の禁止**」、第3条「**子どもの最善の利益**」、第6条「**生命、生存および発達の確保**」を指す。たとえば、いかに子どもの意見を尊重していようが、子どもの生命を聴きにさらすような指示・指導は許されないのである。

第2節　子どもの権利を活かした子ども・子育て支援

1．子どもの育ちと子育ての現在

　1人の女性が生涯に産む子どもの数を示す合計特殊出生率は、2020年で1.34であり、5年連続の低下となっている。2020年に生まれた子どもの数は84万832人で過去最少を記録した（厚生労働省、人口動態統計）。コロナ禍の影響で、2021年はさらに減少する可能性が高い。**少子化**に歯止めが効かない日本であるが、少ない数の子どもたちにとって、日本は育ちやすい国といえるだろうか。

　総務省統計局「平成28年社会生活基本調査——生活時間に関する結果」（平成29年）によると、子どもがいる世帯の夫と妻の家事関連時間は、妻は子供の成長に伴い家事時間が増加し、育児時間は減少する。一方、夫は末子が6歳未満で育児時間が長くなっているが，末子が6歳以上になると育児時間が減少し、家事関連時間は短くなる。6歳未満の子どもを持つ親が育児、家事に費やす週全体の時間は、妻7時間34分に対し、夫はわずか1時間23分であり、子育ての担い手に関するジェンダー差は依然として大きい。

　2020年度中に全国の児童相談所が児童虐待相談として対応した件数は、205,029件であり、前年より1万件以上増え過去最多となった（厚生労働省、2021年）。2019年国民生活基礎調査によると、中間的な所得の半分に満たない家庭で暮らす18歳未満の割合を示す**子どもの貧困率**は13.5％であり、子どもの7人に1人が貧困下にある。さらに、ひとり親家庭の貧困率は48.1％と高い水準であり、より厳しい状況にある。

　このように、子どもとその保護者を取り巻く環境は決してよいとはいえない。森田は、子どもが地域やおとなの力を借りながら自立していくことに着目し、「保護者の養育力と子ども自身の力を足しただけでは、子ども自身に障がいや、保護者が仕事などで養育できない時間があったり、貧困や病気を患っていたりすると、自分の力だけでは子どもの成長は最低ラインに届かず、子どもの年齢に必要で十分な支援が受けられずに成長発達が損なわれる」と指摘した（森田、2008：193）。子どもを育てるためには、保護者だけでなく、社会全体に子ども

を育てるまなざしが必要である。コロナ禍でその必要性は一層増した。子どもたちを取り巻く社会である保育所・幼稚園・子ども園・小学校・放課後児童クラブ・児童館等においてどのような支援が求められるのか、子どもの権利の視点から具体的に検討する。

2. 子どもの声を聴くことの難しさ

子ども・子育て支援の土台となるのは、子どもの声である。ここでは、子どもの声が聴かれなかった事例を通して、その難しさを考える。

栗原心愛ちゃんは、2019 年 1 月 24 日の深夜、千葉県野田市の 3 階建てのアパートの浴室で、全身が濡れた状態で発見された。救急隊員が駆け付けた際にはすでに脈はなく、心肺停止であった（「虐待か 10 歳女児死亡　傷害容疑で父親逮捕　野田」千葉日報、2019 年 1 月 25 日）。

心愛ちゃんは 2017 年 11 月 6 日、当時通っていた小学校のいじめアンケートに「お父さんにぼう力を受けています。先生、どうにかできませんか」と訴えた。その後、学校が市に連絡、柏児童相談所は虐待の可能性が高いと判断し、心愛ちゃんを 11 月 7 日〜12 月 27 日まで、一時保護した。

この事件をめぐっては、2018 年 1 月、アンケート回答のコピーを、野田市教育委員会が父親の要求に応じて渡していたことが発覚している。市教委の担当者は「重篤な危機感がなかった。渡すことで（心愛さんに）どのような影響があるか引っかかったが、（父親の）恐怖で追い詰められていた。私の判断で、守れる命を守れなかった。取り返しのつかないことをした」と述べている（「〈野田小 4 女児死亡〉「先生どうにかして」SOS 父に筒抜け」千葉日報、2019 年 1 月 31 日）。

この事件を受け、文部科学省は 2019 年 5 月に児童虐待への対応策をまとめた学校や教育委員会向けのマニュアルを策定した。マニュアルの「はじめに」では、「この事案では、教育委員会が児童の書いたアンケートの写しを父親に渡したことや、写しを父親に渡す際に児童相談所等の関係機関への相談をしなかった等、関係機関との連携が不足していたこと」を課題とした上で、「保護者から情報元（虐待を認知するに至った端緒や経緯）に関する開示の求めがあっ

た場合は、情報元を保護者に伝えないこととするとともに、児童相談所等と連携しながら」対応する必要を指摘した（文部科学省、2020：3）。

事件の検証を行った千葉県社会福祉審議会は「本事例は、父から暴力を受けていた本児が、学校のアンケートに「先生、どうにかできませんか」と 記入し、学校が市に通告したことが発端となって本児への支援が始まった。児童本人がこうした訴えをすることは稀であり、勇気を持って訴えた本児は、何としても守られるべきだったし、救える命であった」とまとめている（千葉県社会福祉審議会、2019：58）。

子どもたちの「たすけて」「ゆるして」という声はどうしたら受け止められるのか。支援者は、それは虐待ではないのかと疑っても、保護者から「これはしつけだ」と言い放たれてしまえば、一瞬ひるんでしまうこともあるだろう。このようなときも、子どもの権利の視点で捉えることが重要となる。

3. 体罰の禁止へ

栗原心愛ちゃんの事件で逮捕された父親は「しつけの一環で水をかけたりした。生活態度を注意したらもみ合いになった」「しつけで立たせたり、怒鳴ったりした。けがをさせたつもりはない」と説明していたことがわかっている（「逮捕の父「しつけで水」1 年前から暴言や泣き声　野田小 4 女児死亡」千葉日報、2019 年 1 月 27 日）。子どもへの体罰は、これまでも "しつけ" として正当化されてきた。しかし、体罰は子どもに対する暴力であり、子どもの権利侵害である。

2019 年 1 月、ジュネーブで開催された国連子どもの権利委員会では日本政府の第 4 回・第 5 回統合定期報告書が審査された。政府報告書の審査では、学校における体罰禁止が効果的に実施されていないこと、家庭等における体罰が法律で全面的に禁じられていないことに対し深刻な懸念が示された。学校での体罰は**学校教育法第 11 条**で禁止されているにもかかわらずなくなっていない。家庭では、法で明確に禁止もされていない。

審査の場面では、体罰をめぐって法務省と厚生労働省の回答が食い違う場面もあった。国連子どもの権利委員会委員からの、体罰等の全面禁止を検討して

いないのかという問いに法務省は「大前提として民法で懲戒権を定めている」「そもそも体罰を法律上どのように定義するのか明確ではないため、この場で答えるのが難しい」と回答した。これに対し、厚生労働省は「体罰は百害あって一利なし、というスローガンで家庭に周知している」と説明してた（川上、2019：24-25）。

　国連子どもの権利委員会は、これらの議論を踏まえて「家庭、代替的養護および保育の現場ならびに刑事施設を含むあらゆる場面におけるあらゆる体罰を、いかに軽いものであっても、法律（とくに児童虐待防止法および民法）において明示的かつ全面的に禁止すること」(2019) を勧告した。

　これに対し、いち早く動いたのは東京都であった。東京都は保護者の体罰禁止を盛り込んだ条例を可決し、その後、国も動く。2019 年 6 月 19 日には、児童虐待の防止強化に向けた改正児童福祉法などが参院で可決成立した。これにより、保護者による体罰禁止がようやく明記されることとなった。

　繰り返しになるが、第 1 章第 4 節でも触れたように体罰は「不適当」な指示・指導であり、保育所・幼稚園等、子ども支援の現場であっても体罰は許されないものである。

4. 支援者は子どもの声をどう聴くか

　お友だちにすぐに噛みついてしまう乳幼児さん、順番を守れない年少さん、5 分と席に座っていられない年長さん、先生の言うことを聞かない子どもたち。いずれも問題行動ばかりする「**困った子**」であり、支援者を悩ます存在である。このような子どもたちと、どう向き合えばいいだろうか。

　「困った子」を保育室や教室から排除すればすべて解決、とはならない。問題行動ばかりする子、「困った子」は、実は問題に直面して「**困っている子**」なのである。ところが、その困り感をうまく言葉で表現できない。その結果、噛んだり、蹴ったり、叩いたりとさまざまな**問題行動**として表出する。

　ではどうすればいいだろうか。子どもの権利擁護機関で相談・調査専門員としてかかわってきた竹内麻子は「子どもたちの「困った行動」に対し、その背

景にある問題や子ども自身の努力がなかなか理解されず、周囲からネガティブな反応が繰り返されてしまうことにより、子どもが深く傷つき、力を奪われてしまっている状況」があることを指摘している（竹内、2016）。竹内は「多くの人からは理解できない論拠であるとしても、子どもの行動の背景には必ずその子ども独自の理由がある」という。しかし、「発達に課題のある子どもたちに関わるとき、周囲のおとなの関心は「問題行動」に置かれがち」であり、その結果、子どもの背景にある問題には目が向けられず、根本的な解決に至らないことが多いばかりか、問題が蓄積されることで「将来的な子どもの生きづらさ」にも深くかかわってくることとなる（竹内、2016）。

　困った子どもの親はどうだろうか。困った子の親もまた困っているケースが少なくない。ところが、親自身が困っていることを意識していない場合がある。子育て支援においては、現場から相談への橋渡しが強調されるが、親自身が意識していないと難しい。このことに関して、森田は「支援につながりにくい人にこそ支援につなぐことが必要な時代に、必要な相談・救済支援の視点は、ハードルが低く安心して相談できる人と出会える場所が身近に用意されていること」であると指摘した（森田、2016）。親にとって身近な保育所・幼稚園、児童館等の子育て支援事業が果たす役割は大きい。

　子ども・子育て支援の現場でまず求められるのは子どもの声を聴くことである。「きく」という漢字はたくさんある。たとえば「聞く」「訊く」「聴く」の3つがすぐに思い浮かぶ。

　このうち「聞く」をまず見てみると、門構えの中に耳がある。何かの音は耳に入ってくるが、何を言っているかはよくわからない、という状況だ。料理をしながら、スマホを見ながら、片手間に子どもの話を聞くおとなは少なくないが、子どもたちにしてみれば「もう、ちゃんときいて！」と言いたくなるだろう。

　次に「訊く」だ。これは、訊問の訊くであり、子どもに質問して強制的に答えさせるような場面である。これでは、子どもは話したいことを話せなくなる。こうなると子どもは「話さなきゃよかった」と感じるかもしれない。

最後に、子ども支援の現場で求められる「**聴く**」である。「聴く」の言葉の中には、耳はもちろんのこと、十の目があり、心が見て取れる。単に耳できくのではなく、目を見て、そして心を子どもの方へ向けて、うんうんとうなづきながら受け止める。話した子どもの側は、聴かれることで安心し、それだけですっきりする子もいる。否定することなく言葉を受け止めてもらうことは、存在そのものを受け止めてもらうことでもある。そうされた子どもたちは、少しずつ問題解決へと向かっていくことができるようになっていく。

ところが、聴くことはたやすいことではない。それは、支援者がゆらぐからである。

第3節　支援者の専門性とゆらぎ

1. 支援者のゆらぎ

あの子に対する声かけは、あれでよかったのだろうか。時間がなかったのでつい手を出してしまったが、1人でできるまで子どもを待つことが大切だったのではないか。日々子どもたちと向き合う現場では、**支援行為**の1つ1つに戸惑いや葛藤がよぎる。ところが、実践は目の前をどんどんと流れていき、立ち止まってふりかえる時間が十分に取れないことが多い。

子ども支援のような対人支援の現場で感じる葛藤・不安・わからなさ・不全感・挫折感を総称して「**ゆらぎ**」という（尾崎、1999）。子ども支援にかかわる人はみな、この「ゆらぎ」に遭遇する。

自分がよかれと思って言った一言が、子どもを傷つけたり、うまく伝わらなかった時、支援者は足元がぐらつくような感覚を覚える。このゆらぎを放っておくと、動揺や混乱、危機的状況をもたらす。たとえば、ある一言で子どもを傷つけてしまった支援者が、それ以降その子にどう働きかければよいかわからなくなり、誰にも相談できずにその子を避けるということは起こりうる。このようなできごとが続けば、支援者は何のために現場にいるのかわからなくなり、仕事を辞めてしまうかもしれない。また、支援者の一言に傷ついた子どもが我

24　第1章　教育の意義と目的

慢を続ける状況は、些細なことであっても子どもの権利侵害につながる。

　それでは、このゆらぎにどう向き合えばいいのだろうか。その鍵は、**省察**（reflection）にある。自らの実践を**ふりかえり**、「うまくゆらぐ」ことができれば、支援実践やしくみの課題に気づくことができる。そこから解決のための「課題設定」が可能となり、変化・成長・再生の芽を見出すことにつながる。

　しかし、「ゆらぐ」ことはなかなか難しい。自分が「失敗」だと思っていることをわざわざ直視したいと思う人は少ないからだ。うまくゆらぐまでは何度も失敗を繰り返し年月もかかるだろう。そこで、次節では、支援者が現場で直面する困難——ゆらぎ——をどうやって専門性に転化していくことが可能となるのかを、省察的実践論をヒントに考察する。

2.　ゆらぐことのできる力とゆらがない力

　子ども支援の現場で、支援者を悩ませるものの１つに、マニュアルがない、ということが挙げられる。子ども・子育て支援の現場は、常に変化し、支援のありようもまた変化を迫られる。だから、「ケースバイケースで」という声もよく耳にする。とはいえ、行き当たりばったりでいいわけでもない。現場では臨機応変さが求められる一方で、その活動を支えるための軸となる理念や価値観もまた求められる。このことが支援者を悩ませる。

　尾崎は、現場において「個別性・多様性・偶然性」が必要とされるのと同時に、「一貫性・明確性・客観性」が必要とされ、そこから現場や支援者に２つの矛盾する態度が生じることを指摘した（尾崎、2002）。

　「**個別性・多様性・偶然性**」に関わる態度は、現場の力を想像する基盤ともいうべきものである。それは「援助を進める上での葛藤、不安、分からなさなどに直面し、援助の意味を問い続けることによって、力を高めようとする態度」であり、そこに働く力を、尾崎は「**ゆらぐことのできる力**」と呼んだ。

　これに対し、「**一貫性・明確性・客観性**」にかかわる態度は「明確な理念、価値観、援助原則あるいは制度、客観性を獲得することによって、現場にゆるぎない力を創ろうとする態度」であり、そこに働く力は「**ゆらがない力**」である（尾

崎、2002）。

　これらはいずれも現場に不可欠のものであるが、どちらか一方のみが単独で存在するとき、現場はきわめて危険な状況に陥ると尾崎は指摘する。しかし、両者は矛盾する力であり、両者の間には本質的な困難が生じている。

　そこで、両者を対立構造としてとらえるのではなく「ゆらぐことのできる力」を横糸に、「ゆらがない力」を縦糸に尾崎はたとえた。横糸である「ゆらぐことのできる力」は、「人が生きること、あるいは援助することに伴なう葛藤、矛盾、分からなさなどに対する感性と耐性」である。縦糸は、支援者が、ゆらぎの振幅が大きくなりすぎて破たんしないように、「ゆらぐことのできる力」を支える。より具体的には「これだけは譲れないもの」としての実践理念や援助原則、現場を支える法や制度が「ゆらがない力」である。尾崎は、「われわれはまず、「横糸」から紡ぎ、現場という「織物」を織り始めなければならない」と述べた（尾崎、2002）。このことは、被支援者である子どもや親の現実から出発することの重要性を示唆している。

3.　省察的実践者としての子ども支援専門職

　ゆらいでいる時、うまく言葉にできないもどかしさを感じ、もやもやする。このもやもやを専門性に転化する鍵は、省察である。優れたプロフェッショナルは、自らの**実践知**を意識化し、他者に語り、世界に拓くことができる。ドナルド・ショーンは「行為の中で省察するとき、そのひとは実践の文脈における研究者となる。すでに確立している理論や技術のカテゴリーに頼るのではなく、行為の中の省察を通して、独自の事例についての新しい理論を構築するのである」として、実践者自身が省察することの重要性を指摘した（Schön, 1983＝2007）。

　実践知とは、「熟達者がもつ実践に関する知性」である。認知心理学的には、学校知との対比の中で位置づけられてきた。熟達者（expert）はラテン語で「試みた」を意味するexpertusから派生した語であり、「経験で得た知識をもった」が元の意味である（楠見、2012）。

　保育士・幼稚園教諭・保育教諭は、一人一人が実践の現場を持つ**省察的実践**

者である。ベテランの支援者といった誰かが考えた理論ではなく、目の前の子どもとのかかわりの中に、自分なりの**実践知**を積み重ねていくさまは、まるでマジックを見るようでもある。

　ところが、実践知は、ただ経験するだけでは自分のものにならない。マイケル・ポランニーが「我々は語ることができるより多くのことを知ることができる」と述べたように、言語化されていない**経験知**を**暗黙知**という（Polanyi 1996＝1980）。子どもと向き合う現場での経験はさまざまに学びと気づきをもたらすが、言語化する機会がなければ個人の内に埋もれたままとなる。

　暗黙知を実践知として広く共有していくためには、まず実践の省察が必要だ。実践をふりかえることで、経験が記録化される。記録を読み直しながら、支援者は、自分の支援行為を何度もふりかえることでようやく、そこでの気づきが言語化されていく。言語化され、他者と共有されて初めて、暗黙知は実践知となる。省察的実践者としての子ども支援者は、子どもと向き合う中で得られた暗黙知を、実践知として拓いていくことができる人である。

4.　どのようにふりかえるか

　実践を省察するとは、具体的にどういうことだろうか。保育実習や幼稚園教育実習の省察を例に考えてみよう。

　たとえば、「失敗」したエピソードをあなたはどう語るだろうか。「思ったようにうまくいきませんでした」とだけ語る人、「まったくダメだったので、詳細は省きます」と次の項目に移る人もいれば、自分が失敗したと感じたエピソードをその理由と共に語り、そこから何を学んだかまでしっかり語る人もいるだろう。

　「成功」したエピソードはどうであろうか。「うまくいったけれど、なぜうまくいったのかわからない」という人、「うまくいったから、保育士／幼稚園教諭になりたいという気持ちがより一層深まった」という人、「あの時はうまくいったと思ったが、果たして子どもにとってあの指導／支援はよかったのだろうかと、今は考えています」と語る人もいる。

第3節　支援者の専門性とゆらぎ　27

失敗がダメで、成功がよいという単純な話ではもちろんない。ポイントは、失敗や成功をどのようにふりかえり、とらえ直しをしているのか、ということである。失敗を見つめ直すことは辛いし、成功は「あぁ、よかった」でおしまいにしがちである。しかし、それでは、いくら実践を積み重ねても**力量形成**にはつながらない。支援者としての力量形成につながるふりかえりには、ちょっとした工夫が必要である。それは、**実践を記録化・意識化・言語化**し、子どもの権利の視点で捉え直すことだ。

　消化しきれず頭の中でもやもやしていること、何かにひっかかり胸がざわざわすることを、思い切って口に出すことで、「あぁ、私はこんなことを考えていたのか」「私が気になっていたのはこれか」と気づかされることがある。その言葉を他者に聴いてもらうことで、「こんな考え方がある」「あんな見方もある」ことを発見し、自分の実践を**客観視**することができるようになる。客観視する時に、子どもの権利のフィルターでとらえ直してみよう。そうすると、実践が違う意味を持ってくることがある。「私は、あの声かけでいいと思っていたけれど、子どもの最善の利益の視点からはすべきではなかったかもしれない」と。そうすることでようやく、支援者は、自分の内にある課題に気づくことができる。ショーンは、このような多重の省察が照らし合わされる場を「鏡のホール」と呼んだ（Schön, 1987：295＝ショーン、2017）。

　さて、ふりかえりが大好きです、という人にはあまり出会ったためしがない。多くの人は苦手だと感じるようで、中でも「ゆらぎ」を感じることがその原因の１つのようである。「ゆらぎ」とは、対人支援職が現場で直面する動揺・葛藤・不安・わからなさの総称であった。支援者になろうとしている自分が「わからなさ」と直面しているなんて、自分の未熟さを認めるようでいやだという人もいるかもしれない。それでは、確固たる信念を持ち、子どもを前にして、絶対に間違わず、「ゆらがない」のが専門性のある支援者だろうか。ゆらぎながらも、子どもにとって一番よい支援を探求する姿勢こそ、求められる姿ではないか。

　ふりかえりたいのにうまく言葉にならない時は、誰かに話してみよう。「き

れいな言葉」を使い、「正しいこと」を語る必要はない。たとえば、新聞やテレビで耳にした子どもを取り巻くできごとについて、自分が感じたこと、経験したこと、本で読んだこと、大学で学んだこと、実習で見たこと聞いたことを思い起こしながら言葉を紡ぐのである。相手の考えに耳を傾けることも有用であろう。そして、話しながらでもいいので、ノートにメモをとることである。そうすることで、私たちは少しずつ思考を言語化し、記憶を記録にすることができる。

　支援の現場に立った後にも、ぜひこのプロセスを積み重ねてほしい。現場で「わからなさ」に直面することは多々あるだろう。そんな時は臆せず、言語化・記録化し、同僚や仲間と共有することで、「課題」を設定できれば、「ゆらぎ」を子ども支援の専門性へと転化する道筋が見えてくる。

第4節　SDGsと子どもの権利

1. 新学習指導要領と「持続可能な社会の創り手」

　2017・18（平成29・30）年改訂の**新学習指導要領**ではその前文に、「**持続可能な社会の創り手**」を育成することが明記されている。「持続可能な社会」は、新学習指導要領のキーワードのひとつである。これは**持続可能な開発目標（SDGs）**に由来する。日本政府が掲げる「SDGsアクションプラン2020」は、今後10年を目標達成に向けた「行動の10年」とすべく政府の具体的取組を盛り込んでいる。そのひとつが「新学習指導要領を踏まえた持続可能な開発のための教育（ESD）の推進」である。

　2016年12月に発表された中央教育審議会答申「幼稚園、小学校、中学校、高等学校及び特別支援学校の学習指導要領等の改善及び必要な方策等について」では、ESDを「次期学習指導要領改訂の全体において基盤となる理念」と位置付けた。2017年3月に公示された幼稚園教育要領、小・中学校学習指導要領においては前文及び総則に、「持続可能な社会の創り手」の育成が掲げられ、各教科でも関連する内容が盛り込まれている。

文部科学省は、ESD の大切さや、学校での ESD の具体的な実践方法等を伝える研修、学校全体の取組を進めるため、ESD に関する研修を企画・実施する指導主事や学校の管理職の教職員等を主な対象に「ESD（持続可能な開発のための教育）推進の手引（初版）」を 2016 年 3 月に作成した。その後、2018 年 3 月に、持続可能な開発目標（SDGs）や、新しい学習指導要領、ユネスコにおけるユネスコスクール制度改革などを踏まえ、内容を一部改訂し「ESD（持続可能な開発のための教育）推進の手引」（改訂版）を作成した。これにより、ESD の一層の推進が望まれている。

　学び方・教え方も当然これまでとは異なってくる。「一斉授業だけではなく、グループ活動などの協働的な活動や、体験的な活動などを取り入れることを通して、児童生徒の主体的な学びを引き出す工夫」が求められる。そして、「重要なことは、地球上で起きている様々な課題を解決することの重要性について、児童・生徒が認識し、主体的・協働的に学び、行動するために必要な資質・能力を育むこと」であると指摘している（文部科学省国際統括官付日本ユネスコ国内委員会、2018）。幼稚園や学校で ESD を推進していくにあたって、どのようなことに留意すればよいのだろうか。

2. SDGs と人権

　SDGs（Sustainable Development Goals）は、2001 年に国連で採択されたミレニアム開発目標（MDGs）の後継となるものであり、2015 年 9 月の国連サミットで採択された「我々の世界を変革する：持続可能な開発のための 2030 アジェンダ」（以下「2030 アジェンダ」）において設定された 2030 年までの国際目標である。

　SDGs は、「**誰一人取り残さない（leave no one behind）**」持続可能でよりよい社会の実現を目指す世界共通の目標であり、17 のゴール・169 のターゲットから構成されている。「誰一人取り残さない」は、世界人権宣言の精神を引き継いだものである（坂元、2019）。このことは、SDGs の核に人権が据えられていることを意味し、前文には「（目標とターゲットは）すべての人々の人権を実現し、

30　第 1 章　教育の意義と目的

ジェンダー平等とすべての女性と女児の能力強化を達成することを目指す」と述べられている（三輪、2018）。

SDGs の 17 のゴールには「人権」という言葉は見られない。そのため、それほど人権に重きを置いているようには見えないかもしれない。しかし、SDGs の核に人権が据えられていることは、先述した通りであり、たとえば「2030 アジェンダ」のパラグラフ 19 では、世界人権宣言及びその他の人権に関する国際文書並びに国際法の重要性を確認している。つまり、SDGs およびそれに基づく ESD の推進には、めざすべきものとして人権が普遍的に尊重される世界像があり、その実現のために世界人権宣言を始めとする人権諸条約、国際文書を土台としなければならないのである。

子どもに関する国際条約には、国連子どもの権利条約があることはすでに述べたとおりである。SDGs の実施において、子どもの権利条約はどのような意味をもつのか。国連人権高等弁務官事務所による 2017 年のレポート「持続可能な開発のための 2030 アジェンダの実施における子どもの権利の保護」パラグラフ 19 の冒頭では、両者の関係について以下のように述べている（UNHCHR、2017）。

> 19. すべての持続可能な開発目標とターゲットは、子どもの権利条約、一般的意見、子どもの権利委員会からの勧告に従って実施されなければならない。17 のゴールと 169 のターゲットのすべてが子どもに言及しているわけではないが、それらはすべて子どもの幸福、可能性の実現、人権の保護と実現に関連するものである（以下略）。

ユニセフは、「子どもの権利と SDGs の実現は切り離せないものであり、相互に強めあうものである」と指摘し（UNICEF、2020）、SDGs の実現にあって子どもの権利条約を無視できないことを強調している。以上のことから、ESD の実施にあたって、幼稚園や学校が子どもの権利条約をどう理解し、取り組みに活かしていくかが重要な鍵となる。

それでは、子どもの権利条約を ESD に活かすには、具体的にはどうすれば
よいだろうか。

3. ESD の実施と子どもの権利

　ESD を子どもの権利条約に従って実施する場合、重要なのは、子どもの権
利条約の一般原則である。なかでも、第 12 条である子どもの意見の尊重に関
して、「2030 アジェンダ」のパラグラフ 51 では、子ども・若者が「**変化のため
の重要な主体（critical agents of change）**」であるとしている。子どもは、守ら
れるべき脆弱な対象であるばかりでなく、変化の担い手すなわち主体として位
置づけられているのである。「変化のための重要な主体」とは、「持続可能な社
会の創り手」にほかならない。

　ここで忘れてはならないのが参加型のアプローチである。国連人権高等弁務
官事務所による 2017 年のレポート「持続可能な開発のための 2030 アジェンダ
の実施における子どもの権利の保護」パラグラフ 51 では以下のように述べら
れている（UNHCHR、2017）。

　　51. 説明責任への参加型アプローチは、実施における格差や取り残された
　　人々に関する重要な情報を明らかにすることに役立ち、それによってプロ
　　セス全体を通して軌道修正の必要性を知らせることができる。このことは、
　　権利の主体としての子どものエンパワーメントのためにも重要である。子
　　どもの権利条約では、子どもの発達しつつある能力に応じて、子どもに影
　　響を与えるあらゆる事項について自由に意見を表明する子どもの権利（第
　　12 条）が規定されており、各国は、子どもの有意義な参加を可能にするた
　　めに、文脈に応じた適切な資料、仕組み、制度のための予算を確保し、提
　　供すべきであると指摘されている（以下略）。

　ここで注目すべきは「**権利の主体としての子ども**」という文言である。「持続
可能な社会の創り手」とは、第一に「権利の主体としての子ども」である。上

述した通り、子どもは、単なる保護の客体ではなく、権利を行使し、社会を変革する主体である。権利の主体としての子どもには、子どもの権利条約第12条に規定された、子どもの意見の尊重が確保されなければならない。具体策としては、「子どもたちが意見を述べるためのオンラインおよびオフラインの安全な空間の提供」、「子どもたちが理解できる形式と言語でのタイムリーでアクセス可能な情報の提供」、「子どもたちの権利実現に関する意見が意思決定者によって聴かれ、行動に移されるような、すべてのレベルでの公式な制度」が掲げられている（UNHCHR、2017）。ESD の推進に当たっては、「持続可能な社会の創り手」、すなわち、権利主体としての子ども参加が前提として検討されなければならないのである。

4. 学校にも子どもの権利条約を

　以上を踏まえると、幼稚園や学校現場では子どもの権利条約への理解なしに SDGs や ESD を推進できないことがわかる。これはまた、保育所や放課後児童クラブ、児童館のような厚生労働省が管轄している子ども・子育て支援の場だけでなく、文部科学省が管轄する幼稚園や学校においても、教職員が子どもの権利条約を理解し活かしていくことが不可欠であることを意味している。子どもの声を聴きながら、子どもとともに子ども・子育ての場をつくっていくことが求められている。

Column ①　コロナ禍における子育てとケア──子どもの声と気持ちに向き合う

　2021 年 6 月 23 日、文部科学省は「児童生徒の自殺予防に係る取組について（通知）」（3 初児生第 14 号）を発出し、学校における早期発見に向けた取組や保護者による家庭での見守りの促進を求めた。この背景にはコロナ禍の長期化による、子どもの自殺増加がある。

　厚生労働省「自殺の統計：地域における自殺の基礎資料」および「自殺の統計：各年の状況」によると、児童生徒の自殺者数は、2020 年の 1 年間で 499 名であった。これは、2019 年の 399 名から 100 名増加し、過去最多である。なかでも、高校生女子は 2019 年の 80 名から 2020 年には 140 名へと急増している。2021 年も、2020 年同様のペースで増え続けている。

　子どもに関するデータを読む時、数の増減に一喜一憂しがちである。増加傾向にあることを重く受け止めつつ、本来ならば子どもの自殺数は「ゼロ」となるような子育ち環境を目指すべきなのではないかと思い至る。同時に、「ゼロ」には程遠い数字を前にして、どこから手をつけたらいいのかと頭を抱えそうになる。

　すぐに効く処方箋があるわけではない。しかし、まずは目の前の子どもの声を聴くことだろう。コロナ禍の子どもたちの声や気持ちを、わたしたちおとなは受け止めてきただろうか。

　コロナ禍の子どもの調査としては、公益社団法人セーブ・ザ・チルドレン・ジャパンによる「「子どもの声・気持ちをきかせてください！」2020 年春・緊急子どもアンケート」や、国立成育医療研究センターによるものがある。いずれの調査にも、コロナ禍の子どもの声と気持があふれている。子どもにとってより身近な他者が、その声と気持ちを受け止めるにはどうしたらよいだろうか。

　つい最近の話である。ある児童館の児童厚生員が「ふだんは、中高生対象の事業をしても申し込みが少ないのに、今年はいつもの何倍もの申し込みがあった」とおしえてくれた。別の児童館でも同じだという。コロナ禍で、学校行事が減り、部活動も制限されている。中高生が遊べる屋外の場も限られている。その結果として、児童館での子どもの動きが活発になっているのではないかというのだ。中高生世代の声をもとに、なにか新しいことができそうだと、その児童館は模索を始めている。

　子どもが育つ場は学校だけではない。学童保育や児童館、地域も含めて子どもの声を聴き続けること、ふだんとはちょっとちがう雰囲気の子に声をかけること、遊びのようすから子どもの気持を推し量ること、赤ちゃんの泣き声や保護者のつぶやきにも耳をすますこと、その積み重ねしかないのかもしれない。子どもの気持ちに向き合う小さな日々の積み重ねが、やがては児童生徒の自殺者数を限りなく「ゼロ」に近づけていくのではないか。

【引用・参考文献一覧】

・尾崎新『「現場」のちから　社会福祉実践における現場とは何か』誠信書房、2002
・尾崎新『「ゆらぐ」ことのできる力　ゆらぎと社会福祉実践』誠信書房、1999
・川上園子「体罰などの全面的禁止へ建設的対話　第四・五回日本政府報告審査を傍聴して」日本子どもを守る会編『子ども白書2019』2019、pp.22-27
・喜多明人『新時代の子どもの権利』エイデル研究所、1990
・楠見孝「第1章　実践知と熟達者とは」金井壽宏・楠見孝編『実践知　エキスパートの知性』有斐閣、2012、pp.4-31
・坂元茂樹「SDGsと人権」世界人権問題研究センター（http://khrri.or.jp/blog/2019_01_07_expert_01.html）（2021.9.29閲覧）
・竹内麻子「発達に課題のある子どもの支援と相談・救済」荒牧重人・半田勝久・吉永省三編『子どもの相談・救済と子ども支援』日本評論社、2016、pp.18-25
・千葉県社会福祉審議会「児童虐待死亡事例検証報告書（第5次答申）」2019
・三輪敦子「人権目標としてのSDGs〜「誰一人取り残さない」を現実に〜」ヒューライツ大阪『国際人権ひろば』No.141、2018年9月号（2021.09.29閲覧）（https://www.hurights.or.jp/archives/newsletter/section4/2018/09/sdgs.html）
・森田明美「子どもの相談・救済制度の構築とまちづくり」荒牧重人・吉永省三・吉田恒雄・半田勝久編『子ども支援の相談・救済　子どもが安心して相談できる仕組みと活動』日本評論社、2008、pp.193-202
・森田明美「子ども計画における子どもの相談・救済」荒牧重人・半田勝久・吉永省三編『子どもの相談・救済と子ども支援』日本評論社、2016、pp.44-52
・文部科学省「ESD（持続可能な開発のための教育）推進の手引」（改訂版）、2018
・文部科学省「学校・教育委員会等向け虐待対応の手引き」（令和2年6月改訂版）、2020
・Dewey, J. 1916 Democracy and Education: An Introduction to the Philosophy of Education.（松野安男訳『民主主義と教育（上）』岩波書店、1975）
・Hodgkin, R. & P. Newell, 1998 Implementation Handbook for the Convention on the Rights of the child, UNICEF, 1998
・Polanyi, M. The Tacit Dimensions, Routledge & Kegan Paul Ltd., London, 1966（佐藤敬三訳『暗黙知の次元　言語から非言語へ』紀伊国屋書店、1980）
・Schön, D.A. The Reflective Practitioner: How Professionals Think in Action, Pleasure Books. Inc., Cambridge, 1983（柳沢昌一・三輪健二監訳『省察的実践とは何か　プロフェッショナルの行為と思考』鳳書房、2007）
・Schön, D.A. 1987 *Education the Reflective Practitioner: Toward a New Design for Teaching and Learning in the Professions*, John Wiley & Sons, Inc.,（柳沢昌一・村田晶子監訳『省察的実践者の教育』鳳書房、2017）
・UNICEF 2020 FULFILLING ALL RIGHTS OF EVERY CHILD: LINKING CHILD RIGHTS AND THE SDGS（2021.09.29閲覧）（https://www.unicef.org/media/64196/file/HLPF_2020_2PAGER_FINAL_child_rights.pdf）
・UNHCHR 2017 Protection of the rights of the child in the implementation of the 2030

Agenda for Sustainable Development, A/HRC/34/27（20210929閲覧）（https://digitallibrary.
un.org/record/860531#record-files-collapse-header）

追記：なお、本稿第1節〜3節は『子育てとケアの原理』（2018）を改稿、第4節は拙稿「SDGs
推進に向けた学校・教師の役割と教育課程—子どもの権利条約の視点から—」（工学院大
学教職課程学芸員課程年報第23号、2021、pp.43-51）をもとに加筆・修正したものである。

Chapter 2

教育の思想と歴史

第1節　近代化の過程と〈教育〉の誕生

　本節では、近代以前における子育ての様相と、近代以降、子育てから教育がどのように分離し、変遷してきたかを見てゆく。子育てや教育は、年長世代と、年少世代との間で繰り広げられる関係的な営みである。年長世代は、何らかの意図を持って年少世代にかかわる。このとき、年長世代が、年少世代をどのような存在であり、どのような存在になるべきだと捉えるかによって、子どもへの接し方、教育の方法は変わってくる。つまり、子育て、教育の方略の変遷の背景には、年長世代である大人が子どもをどう捉えるかという「子ども観」の変化があるということだ。

　近代以前、子育てと教育は一体化していた。地域共同体へと参加する中で子どもたちは学び、成長していた。共同体の中の多くの大人が子育てに加担していた。しかしその一方で、子どもの成長についての最終的な責任を共同体の中の特定の誰かが負っていたわけではなかった。

37

1960 年、フランスの社会史研究家であった**アリエス**が『〈子供〉の誕生』という書籍を刊行した。アリエスは、図像を史料として丁寧に検討し、中世の子どもはおよそ6歳を超えれば、大人と共に労働に参加し、格別、大人と区別されることなく生活していたと主張した。このように、大人と区別されない子どもの様子を、アリエスは「**小さな大人**」と表現する（アリエスが言っているのは、中世において「子ども」が存在していなかったというようなことでは当然なく、〈大人／子ども〉という境界線の引かれ方が変わりうるということである）。

職住が一体であった近代以前の共同体では、教える側と教えられる側は、同じ労働に従事する先輩と後輩、熟達者と未熟者という関係にあった。年少の徒弟は、先輩の職人と生活と労働を共にする中で、職業上必要な知識や技術を見よう見まねで体得していった。教える側は、意識的に、そして体系的に教えるべき内容を伝達していたのではなく、実際の労働に従事しながら、自分が持つ技術・技能を、教えられる側の未熟者の前で間近に見せた。未熟者は、その様子を見て、「勘所」を体得するべく、模倣しようとする。近代以前においては、生きるために労働に従事することと、教えること／教えられることは未分化であり、その意味では、労働と教育は、空間的にも、時間的にも一体化していたということができる。

ところが、近代化、より厳密にいえば産業化の過程で、労働を中心とした共同体から、家族が析出されることになる。それと並行して、労働の過程から、教育の機能が分離することになる。近代化は、地域共同体からの家族の分離、労働（生産）共同体からの教育の分離をもたらしたのである。ここから、近代教育思想は、教育と家族の関係をどうとらえるか、そして教育と労働の関係をどうとらえるか、教育と共同体（社会）の関係をどうとらえるか、という一連の問題を抱えることになるのである。

近代に近くなると、子どもを「可愛がる」という心性が生まれてくるとアリエスは主張する。アリエスは、17 世紀には、子どもを「弱く、保護を必要とする存在」として見る心性が生まれてくるという。そして、その「可愛がり」の主体こそが家族、とりわけ母性を持つ「母親」だとされたのであった。18

世紀に生きた**ルソー**は、子どもに対する慈しみの重要性を強く訴えている。子どもの未来を第一に考える親は、自分の現在よりも良い未来を子どもに生きてほしいと思うならば、子ども1人当たりに多くの時間と手間、財力を費やせるように、避妊を行い子どもの数を制限し始める。子どもの数の縮小は、親族を家族から排除することと合わせて、家族の規模の縮小を招いた。

　産業革命による労働力の集約性は、職住分離を加速させた。職住分離は、家族共同体と労働・生産共同体が切り離されることを意味する。このことが、主に労働力が集中した都市部において、**近代家族**という特異な家族形態を産み出す。近代家族は、血縁によって結ばれた、親子関係からなる小規模な家族である。そのような小さな家族に、子どもたちは「囲い込まれる」ことになる。そこには、召使などの使用人はいないし、叔父・伯母など傍系の親族も排除される。当然、地域の大人たちも排除される。その結果、子どもは、多様な人々と接する場を失うことになった。そして、子どもに対する大人の態度は共感的・理解的であることが理想とされた。親、父親が権威的にふるまうことは古臭く、望ましくないとされた。それと反比例するかのように、近代学校では、教師の権威性が高まっていった。

　近代家族は、外部の地縁・血縁とは無関係に、「愛情」によって結合する。この結合は、子どもという「愛の結晶」を中心にして成り立つ情緒的・心理的な結びつきであるべきだとされた。この近代家族の中では、子育ての責任は親だけが全面的に負うようになる。体罰のような、親による厳しいしつけは批判される一方、子どもへの「助力」という名目でなされる、親による子どもの内面への介入は巧妙なものになっていく。親の子どもへの「助力」は、愛情に基づいてなされるはずのものであるため、子どもは、親のかかわりを、それが望まないものであったとしても拒絶しにくい。子どもの親に対する反感や憎悪は、知らぬ間に無意識の領域に抑圧されていくことになる。幼少期に無意識へと抑圧されたはずの、家族による受傷経験が、成人してから神経症として症状化することがあると主張したのが、精神分析家**フロイト**であった。20世紀初頭のことである。

第1節　近代化の過程と〈教育〉の誕生　39

近代家族が子育ての責任を全面的に負うようになるといっても、小規模な家族がもつ子育ての機能には限界がある。そのため、近代家族は、家族の子育ての機能の一部を、家族の外部に委託しなければならない。近代社会で生きていくためには、科学に支えられた抽象的な知識、高度な技能を獲得することが必要となるが、家族だけではそれらの知識や技能を全て子どもに教えることはできない。そこで、家族は、教育の専門家としての教師に、近代社会において必要とされる知識・技能の伝達を委託する。これが、私事としての教育の組織化としての公教育という制度である。

　近代学校における教師は、もはやある特定の職業の熟達者ではない。教師は、青少年の教育に特化した専門職と位置づけられるようになる。地域共同体から切り離された子どもは、家庭における親、学校における教師以外の大人と関係性を持つ機会を失っていく。

　共同体の空洞化を受けて、学校を共同体化しようとする動きが生じた。**デューイ**が、20世紀末、産業資本主義が行きわたったアメリカで、学校を共同体化し、そこでの協同的な学びを通して子どもの発達を促そうと試みたのは、共同体の崩壊によって、子どもから学習機会が奪われてしまうと考えたからである。

　このように、学校教育という営みは、家族と地域共同体という2つの集団と、いわば子どもをめぐって綱引きをする中で、徐々に形成されてきたのである。学校教育の在り方を考察する際には、必ず、家族と学校教育、地域共同体と学校教育のそれぞれの関係性を見ていかなければならないのは、このためである。

　ただ、もともと近代教育の根幹となった思想は、上流階級の家庭教育論として示されたものであった。**ロック**や**ルソー**はいずれも家庭における個人教師を念頭に教育論を展開した。そこには、公教育、国民すべてが無償で受ける普通教育というアイデアは存在していなかった。

　国民をすべて収容する公教育という構想は、萌芽的には、プロテスタンティズム（新教）の中に見られた。たとえば、ルターらは、すべての人間が聖書を読み、神の言葉を理解し内面化できるようにするために、義務教育制度を作ることを提案している。しかしながら、19世紀初頭に至るまで、学校教育は、

一般的には上流階級の子どもたちのための私立学校において行われるものであり、一般庶民、貧民に対する教育は、**ペスタロッチ**や**フレーベル**がそうであったように、一部の有志が設立する慈善事業として展開されるものであった。労働者階級の子どもたちへの教育の必要性が実感されるようになるのは、18世紀後半からの産業革命以降、国民国家によって、義務教育としての「国民教育」が整備されるようになって以降のことである。

　国民教育の場としての公教育をどう構想するかを、真剣に議論したのがフランス革命期の議会であった。資本家階級を代表するジロンド派に属した**コンドルセ**にとって、公教育は知育に限定されるべきものであり、道徳教育、徳育は、家庭の責任のもとで、宗教的規範に基づいて行われるべきものであった。しかしながら、対立するモンターニュ派のルペルチェによれば、徳育もまた、公教育の中で行われなければならない。ルペルチェは、子どもを家族から切り離す全寮制の公教育モデルを提唱した。というのも、子どもを家族から切り離すことなしには、子どもたちを真に平等な市民として育成することはできないからである。

　18世紀後半からの産業革命の中で、子どもは安価な労働力と見られ、しばしば酷使された。エンゲルスは、19世紀中葉のロンドンにおける児童労働の悲惨な現状を痛烈に批判した。子どもたちは、身体の健康が脅かされているだけではなく、精神的な発達も脅かされているというのである。19世紀の児童は、反復される単純作業に従事させられ、過酷な労働条件のもと酷使されていた。エンゲルスはこの状況を、人間本来の在り方からの「疎外（そがい）」と呼んだ。資本主義社会における労働は、個人が他者と切り離され、労働することに何の喜びも見出せない非人間的なものに成り下がっているというのである。社会主義者たちの運動の結果、イギリスでは、1833年以降、工場法が度重なる改正を受け、労働の場から子どもたちが「救出」されていった。そして、労働の場から学校へと囲い込まれた子どもは、「国民」として、服従という規範を内面化するよう教育を受けることになる。

　19世紀中葉、産業革命のただ中において、功利主義者たちによって開発さ

れた一対多の一斉授業に転用可能な教育方法として、**モニトリアル・システム**（助教法）が、イギリスのランカスター、ベルらによって発案されていた。教師は、数人の子どもを助教として選び、この助教が、さらに多くの子どもを教える。子どもたちは、教師と助教による絶え間ない監視によって、規範やルールを内面化していく。そこで教師とは、子どもが獲得するべき規範を体現し、その規範が子どもたちに獲得されたかどうかを絶えず監視する、いわば監視者である。

　近代化が進み、国民経済が豊かになり、生活水準が向上するにつれて、教育期間、すなわち子ども期は延長の一途をたどってきた。加えて、生涯発達心理学に基づいて生涯学習社会の建設の必要性が広く認められるようになったのは1990年代のことである。アンドラゴジー（成人教育論）が説くように、人間は、生まれた瞬間から、まさしく死の瞬間まで発達し続け、学習し続けるという人間＝教育観が普及してきている。生涯にわたって、教育から逃げることは不可能な社会にわれわれは生きているのである。

第2節　西欧の教育思想の展開

1. 近代教育思想の共通点

　本節では、教育関係、教師と子どもとの間のどのような関係性を望ましいと教育思想家たちが考えてきたかに焦点をあてながら、彼らの教育思想を紹介する。教師や保育者を目指す者は、自らの教育や保育に対する信念が、どのようなものであるかについて自覚し、自分の教育観や子ども観がどのようなものであるかを他者に明示的に語ることができなければならない。そのためには、教育思想を作り上げる際の、基本的な思考パターンのいくつかを知っておくことが役立つ。教育思想には、いくつかの基本的な思考パターンが凝縮されている。教育思想に親しむことは、自分の教育思想の中に、どのような要素が潜んでいるのか、自分の教育思想の成り立ちについて、自己理解を深めるための手がかりとなるのである。

　近代教育を支える思想には、いくつかの重要な共通点がある。教育思想は、

42　第2章　教育の思想と歴史

それ以前の何らかの教育に対する批判的意識から生まれてくるものなのだが、近代教育思想が批判的に見ていた「近代以前の教育」のイメージは共有されていたからである。

第一には、言語主義への批判である。教理問答における詰め込み主義、暗記主義への批判である。子どもの興味・関心を触発すること、五感、とくに視覚を重視するのが特徴である。言語主義への批判は、直観教授、実物教授という形で概念化される。

第二には、中世教育では一般的だった教師による体罰への批判である。中世、教育は主に修道院、教会など宗教団体によって担われ、鞭の使用など体罰が横行していた。身体的な苦痛を与える子どもへの懲罰が当然視されていたのは、子どもの内面には度しがたいほどの激しい「悪」が潜在しているという性悪説的な観念があったためだろう。近代教育思想は、このような体罰を当然視するような教師の横暴を批判し、子どもの実情、内面に即した教育方法を提案する。そこでは、教育とは、身体を罰することではなく、何より精神、人格の陶冶を目的とする、「心」への働きかけとされた。「心」という子どもの内面への介入が求められた背景には、子どもの内面には、むしろ大人は喪失してしまったような「善」が宿っていると見なす性善説的な子ども観があったはずである。

第三は、生活主体としての子どもに注目することである。大人の生活パターンを子どもに押しつけるのではなく、子どもの生活の中に学習や教育の契機あるいは萌芽があると考える。大人とは異なる存在として子どもを認め、子どもの視点から見て適切な教育内容、教育方法を提案しようとしたのである。

教育において、これらの三つの要素が満たされることが、全ての子どもに保障されるべき「権利」であると見なされたとき、近代教育思想は、現実の教育に対する単なる批判原理であることを越えて、新しい教育制度を創り上げる際の実践的理念となるのである。

2. 近代教育の思想家
(1) コメニウス

キリスト教の宗派対立に端を発する30年戦争の混乱期に生きたチェコの思想家**ヨハン・コメニウス**（Johann Comenius, 1592-1670）は、秩序だった全世界を視野に収める「汎知(パンソフィア)」の創造を目指し、自分のイメージする世界を『**世界図絵**』(1658) という絵入りの教科書に表現した。この本には、「世界初の絵本」だという評価もある。ただ絵本というよりはビジュアル教科書という方がコメニウスの意図には近いだろう。そこでは、神を中心とする整然とした世界の諸相がイラストで紹介され、その名称が示されている。そこで取り上げられた対象は、地形・気候など自然の事象・動植物から、人間が使う道具に至るまで多岐にわたる。

コメニウスがその前年に出版した『**大教授学**』(1657) では、すべての事柄を、すべての子どもに適応するような「普遍的技術」としての教育方法を示そうとしている。コメニウスは、この普遍的方法を、「教刷術」と呼ぶ。コメニウスにとって、教育とは印刷の比喩によってとらえられていた。すなわち、子どもは紙、教育内容はインク、教師は活字であり印刷機であると同時に印刷工に喩えられる。すべての子どもたちに、同じ内容を刷り込んでいくことが教育であるという思想がここでは見られる。

(2) ロック

ジョン・ロック（John Locke, 1632-1704）は、17世紀のイギリスで活躍した思想家である。市民革命の代表例である名誉革命の理論的指導者であったほか、イギリス経験論の思想家として知られる。経験論というのは、人間が持つ概念（知識）は、生まれつき備わっているものではなく、感覚・経験によって獲

得されるとする考え方である。彼によれば、子どもは「文字が全く書かれていない白紙」、あるいは蜜蝋(みつろう)のような存在である（精神白紙説）。その「白紙(タブラ・ラサ)」の上に経験によって「観念」、すなわち知識が書き込まれていくとロックは考えた。子どもを白紙にたとえるという見方は、コメニウスの「教刷術」と類似している。

ロックは、『教育に関する考察』(1693)の中で、人間形成は、習慣の形成だと主張する。生まれたばかりの子どもは、目先の快楽を求める傾向がある。自分の欲望をコントロールする「徳」を身につけるためには、欲望の充足を求める自然の傾向を抑える習慣の形成によるほかない。このようなよき習慣を身につけることにより、自立した紳士(ジェントルマン)を育成しようとしたのがロックの教育論である。

(3) ルソー

感覚によってこそ人間は知識・概念を獲得できるという経験論のモチーフを受け継いだジュネーヴ生まれの思想家**ジャン＝ジャック・ルソー**（Jean-Jacques Rousseau, 1712-1778）は、『エミール』(1762)という特異な教育小説を書いた。天涯孤独の少年エミールに、ジャン＝ジャックという名の「家庭教師」がつきっきりで教育にあたるという筋書きの小説である。

そこでルソーは、言語に拠らず、事物による教育の重要性を説き、教師の役割は、子どもの発達にとって有益な環境を構成することにあるとした（**消極教育**）。たとえば、エミールがある時、自宅の窓ガラスを割る。その穴から寒風が吹きこみ、エミールは風邪に罹(かか)る。風邪の症状に苦しむ経験こそが、窓ガラスによって室内気温を保つことの重要さ、環境の大切さを教えるとルソーは考えるのである。

ルソーによれば、幼児期においては、感覚能力を含む身体的な能力を高めることが目指されなければならない。少年期においても、子どもにとって何の役

に立つかわからない知識を詰め込むことは望ましくはないとされる。

　ルソーにとって、教育の目的は「人間」を育てることだとされた。人間教育は、職業訓練に対立させられるものである。子どもが将来、いかなる職業に就くにせよ、その前段階として、すべての子どもに必要とされるものを提供するのがルソーの言う人間教育である。

　ルソーは、文明、都市においてではなく、自然、田園の中で教育することを推奨した。彼の自然に対する愛情は、人為と、その象徴としての文明に対する嫌悪感と一体のものである。社会の中での教育は、徳を持たないにもかかわらず、徳を持っているかのように見せかける偽りの姿を子どもにとらせるようにしむけることになってしまう。ルソーは、子どもの内面には成長へ向かう善なる性質が備わっていると考えていたから、彼の子ども観は性善説的なものだったといえる。教師は、子どもの中にある善なる本質を歪めないように見守り、そのために相応しい環境を作り上げる存在として位置づけられる。

(4) カント

　イマヌエル・カント（Immanuel Kant, 1724-1804）は、18世紀後半、ドイツ・プロイセン領だったケーニヒスベルクという街から生涯離れることなく、人間の持つ理性の限界を確定させようと努力した哲学者である。カントによれば、「人間は教育されなければならない唯一の被造物である」。動物が「本能」だけで「あるべきもの」になれるのに対し、人間は「教育を受けた人間」によって教育されなければ、人間とはなりえない。そしてカントにとって、目指されるべき人間とは「道徳」的存在にほかならなかった。カントのいう道徳とは、普遍的な道徳律に、自発的に従って行動する自律性のことであり、そのような自律的な状態を彼は「自由」だと言っている（個人の利益や、特定の国家の利益だけに縛られることのない、公共的関心を抱き続ける「世界市民」が、そのような「自由」な主体としてイメージされている）。

ところがカントは、人間を、本来「悪」へと向かうさまざまな傾向を持つ危うい存在だと見ていたから、「悪」を制御する自制を子どもたちが身につけるためには、どうしても教師による「強制」が必要となる。「強制によって、いかに自由を養うか」が、カントの道徳的教育論の根本問題であった。カントは、ルソーの『エミール』の影響を強く受けて、教育方法こそ「消極的」であることを求めたが、決してルソーのように、道徳が子どもの中から自然に現れてくると考えていたわけではない。カントにとっての教師は、自らが「世界市民」的な公共的関心を持ち続け、狭い利益にとらわれることなく自律的に道徳律を実践する主体であり続けようとしながら、子どもの内に私利私欲や怠惰を注意深く見つけ出して、子どもがそれに流されることのないよう促し続ける神経質な助言者ともいうべき存在である。

(5) ペスタロッチ

　フランス革命後の混乱によって生じた孤児や貧民の子どもたちの養育にあたったスイスの教育家**ヨハン・ペスタロッチ**（Johann Pestalozzi, 1746-1827）は、教育の目的を「基礎陶冶（とうや）」、すなわち子どもの自己形成を自然な形で促すことにあるとし、心情、知性、身体の調和的発達を目指した。子どもが持っている本来の素質に適合した教育方法を用いるべきだと主張した。

これは合自然の教育といわれる。「自然」というのは2つの含意がある。1つには、外なる自然であり、もう1つには内なる自然である。内なる自然とは、子どもの発達と言い換えてもよい。教師が外面から子どもの発達を強制するのではなく、子どもの内なる自然に即した教育を必要とする合自然の思想は、コメニウス、ルソーを経て、近代教育思想に共通する。

　『ゲルトルートはいかにその子を教えたか』(1801) において、ペスタロッチは、直観こそが子どもに印象を刻印すると考えた。直観とは、理性を働かせず、あるものを直接的にとらえる認識の仕方である。ペスタロッチは、教育は、理性

による判断や推論によってではなく、直観によってこそなされるべきだと考えた。直観による教育においては、実物を子どもに示すことが重要となる。そして、その**直観教授**の原型は、母親との触れ合いの中にあるとペスタロッチは述べる。母親の愛が、人間を動物的状態から道徳的状態へと引き上げるという。ペスタロッチにとって、教師とは、まず実物を示す提示者としてとらえられていた。そして、教師と子どもとの関係性は、愛情に満ちた母親と子どもとの関係をモデルに形成されるべきだとも考えられていた。教師は、子どもに無限の愛を注ぐ母親的存在でもあるのだ。

ただ、ペスタロッチは、知的教育の重要性を否定したわけではない。直観によって学ぶためにこそ、数・形・語という基本的なリテラシーが重要であると考えたのである。彼は、数・形・語を、「直観のABC」と呼んでいる。言葉によって、子どもは認識する力、それを表現する力を獲得する。直観は言葉によって、他者と共有可能なものになるのである。ペスタロッチにとって、直観とは感覚のみによって与えられるものではなく、言葉によって構成されるものだったのである。

(6) フレーベル

ドイツの教育家**フリードリッヒ・フレーベル**（Friedrich Fröbel, 1782-1852）は、ペスタロッチの学校を2度にわたって訪問し、直観教授という教育方法、子どもの内面に信頼をおく姿勢に感銘を受けた。フレーベルが生きた19世紀はロマン主義の時代であった。ロマン主義は、人為より自然、理性より感性、情緒を重視する。『人間の教育』(1826)の中でフレーベルは、子どもの中には、全宇宙、大自然を貫く真理と同じ「神性」が宿っていると述べる。彼にとって、子どもは神性という無限の可能性を秘めた「種」であり、それが発芽し開花するための環境の整備を行い、開花を待つのがフレーベルにおける「庭師」的教師である。

彼はさらに、宇宙の秩序の象徴として、**恩物**という玩具を考案し、子どもたちに与えた。第一恩物は球体であるが、これこそが、大宇宙の象徴であると同時に、ゆがみのない子どもの神性の象徴でもある。彼が1840年に設立した幼児教育施設の名称は「**幼稚園**(キンダーガルテン)」であった。まさしく、これは子どもという植物が生長し、「神性」を開花させる「庭園」であったのである。子どもの庭での「遊び」の中に、フレーベルは、子どもがその後の人生で必要とする技術・技能のすべての萌芽を見ていた。

(7) ヘルバルト

ヨハン・ヘルバルト（Johann Herbart, 1776-1841）は、ケーニヒスベルク大学に世界初の教育学講座を開設し、初めて教育学を哲学から独立した学問として成立させた。ヘルバルトにとっての教育学の目的は、教師にとって、教育実践において役に立つような、誰であっても適切に教えることができるような方法論を示すことにあった。彼によれば、教師は「教育的タクト」、即興的な臨機応変さを持つ存在である。

その時その場の子どもの状況を的確に読み取る理解者という側面を、彼は強調している。「教育的タクト」の獲得方法を叙述することがヘルバルトにとっての教育学であった。

『**一般教育学**』（1806）では、教育の目標は倫理学によって、教育の方法は心理学によって成立する科学が教育学であるとし、教育の目的を、道徳性の涵養を目指すことにおいた。道徳性の涵養と、知識の獲得は、教授という一連の営みの中で同時に達成される。

彼によれば、教育活動は、3つの営みからなる。1つ目は管理である。管理とは、授業が成り立つよう、秩序や落着き、集中力を維持することである。子どもの心に直接働きかける営みであり、賞罰も用いられる。

2つ目は訓練である。訓練とは、子どもたちを道徳的な状態へと導こうとす

る教師の働きかけのことである。管理のように秩序づくりを目的とするのではなく、子どもたちの内面に働きかけ、変化させようとする営みである。

3つ目が、教授である。教授は、教材を用いて間接的に子どもたちに働きかける営みである。教授において、子どもは、個人の経験の範囲や、時間・空間の制約を越えて、経験と交流の幅を広げていくことができるようになる。教師とは、まさに、子どもの狭い自己の枠を越えた経験を可能にするような、新たな体験の促進者ということができる。

では、ヘルバルトにとって、教授はどのように進められるべきだと考えられていたのだろうか。彼は、教授を4段階に区分している。その4段階とは、①明瞭（新しく学ぶ対象を把握する）、②連合（新しい対象と似た、すでに知っている他の対象と結びつける）、③系統（複数の対象を関係づけ、整理する）、④方法（整理され体系化された対象を応用する）である。新しい概念を獲得するためには、すでに子どもが持っている概念と、新しい概念を比較し、対決させる必要がある。最終的には、その概念は子どもの生活上へと応用されるような実践的知識にならなければならない。

ヘルバルトの**四段階教授法**は、ラインによって、予備・提示・比較・総括・応用からなる**五段階教授法**へとアレンジされる。ヘルバルト派の段階教授法は、新旧の知識を対比させながら子どもたちに示し、新しい知識の有用性を子どもたちに実感させるような提示者としての教師像を示している。

(8) モンテッソーリ

イタリア史上初の女性医学博士であった**マリア・モンテッソーリ**（Maria Montessori, 1870-1952）は、ローマ大学の附属病院において、知的障害児の療育に当たっていた。19世紀後半、工業化に伴って急速な都市化を遂げていたローマでは、下層労働者が集住するスラム街が形成され、そこでの子どもの養育が不十分であるということが社会問題化した。モンテッソーリは、

ローマのスラム街に設立された「子どもの家」という労働者の子どものための保育施設に着任し、知的障害児に対する療育の方法を応用して、教育実践を行おうと試みた。彼女は、不適切な生育環境を改善していくことで、乱暴、わがまま、怠惰、注意散漫といった子どもの「異常」は取り除いていくことができると信じた。

モンテッソーリは、幼児期に、感覚器官・運動器官の形成にきわめて大きな影響を与える時期（敏感期）があることを見いだし、幼児に感覚・運動器官を集中的に使用させることで、その高度な発達を促すことを目指した。そのために開発された一連の教具は「モンテッソーリ教具」と呼ばれる。モンテッソーリ教具は、様々な素材で製作されており、多様な色彩、形状を有していた。子どもたちは、自分の手指を積極的に使ってこれらの教具に触れ、操作することで感覚訓練を施されていく。モンテッソーリ教育における子どもは、感覚訓練や生活訓練を通して人格形成を成し遂げ、徐々に「規律」を獲得し、「自由」になっていくという。モンテッソーリが理想としたのは、何より、「規律」を守ることができ、集中して自己活動に取り組める、自制心ある沈着冷静な子どもであった（モンテッソーリにとっての子どもは、自らが選択した活動を個別に遂行する存在である）。モンテッソーリにおける教師は、子どもが自分の身体を自ら積極的に動かし働かせてみたいという欲求を持っていることを信じ、子どもが自らの意志で行う活動を見守り、子どもの自己活動が持続的に発展していくよう、周囲の環境を整えていく役割を負うとされたのである。

(9) デューイ

世紀転換期のアメリカに生きた教育学者の**ジョン・デューイ**（John Dewey, 1859-1952）は、1896年にシカゴ大学に附属する実験学校を設立し、そこで次々と実験的な教育の取り組みを行っていった。『学校と社会』（1899）では、個々人の興味と関心に基づいて、仮説を立て、それを検証していくことによっ

て、経験を再構成していくカリキュラムを提案している。「為すことによって学ぶ」と表現されるデューイの経験主義において、「為す」とは、生活を高めることである。子どもはまず、問題を意識化し、その問題をはっきりと精緻にとらえなければならない。問題の何たるかをとらえられたら、それを解決するべく仮説を立てる。そして、その仮説を検証するべく思考錯誤しつつ、それを生活上の問題に応用していこうとする姿勢を育てることを重視していた。**ウィリアム・キルパトリック**（William Kilpatrick, 1871-1965）は、デューイの影響のもと、問題解決学習のルーツとなる**プロジェクト・メソッド**と呼ばれる教育方法を考案した。

　子どもたちは、社会生活に密接にかかわるような、実際的な経験の中で知識を獲得していく。専心活動（オキュペーション）と呼ばれる、生きることに結びつく活動（木工、園芸、料理など）を、他の子どもたちと協力しながら、一心不乱に進めていく。デューイにとって、学校は「萌芽的な社会」であった。そして、個人が、協同的な活動に取り組める共同体を構成することこそが、デモクラシー（民主主義）であった。彼にとって、子どもが学校という小さな社会で経験を積み重ねていくことは、デモクラシーの担い手の養成そのものであったのだ。

　デューイにとって、教師は、子どもと専心活動を共にする人間、すなわち共同作業者である。彼にとっての教師は、子どもと学び、子どもに学ぶ。教師も子どもと共に変化していく存在なのである。教師も子どもたちも、共に共同体の一員であり、関係性の中で活動することで学び合うことが重視されていた。

　子どもたちの学びの成果が、学校と社会で同時に活用可能であるのは、デューイにとっての社会、それを取り巻く世界が、有機的に統合されたものであったからだ。「わたしたちは、すべての側面が共に結びついているような、1つの世界のなかに生活しているのである。どのような学科もすべて、このように共通する1つの大きな世界における、さまざまな関係から生じるものなのである。子どもがこの共通の世界に対して、多様でしかも具体的で能動的な関連のなかで生活するならば、子どもの学習する学科はおのずから統合されるであろう」。逆に言えば、教師たち大人と子どもたちが「共通の1つの世界」の中に

52　第2章　教育の思想と歴史

は共存していないとか、「共通の1つの世界」はもはや存在していないと感じられる時、デューイ主義は崩壊してゆくことになる。

(10) ブルーナー

1940年代に全盛を誇ったデューイの経験主義教育であるが、1950年代に至って、批判の矢面に立たされる。第二次世界大戦後、アメリカがソヴィエト連邦と対立していた1957年、ソヴィエト連邦は人類初の人工衛星スプートニク1号の打ち上げに成功した。ソヴィエトに対するアメリカの「科学的敗北」の責任は、有能な科学者の育成ができなかったこと、科学教育における失敗に帰せられた。この「スプート

ニク・ショック」は、アメリカ世論が、デューイ主義以外の教育思想を求めるようになるきっかけとなったのである。そしてそのことは、デューイが前提としていた、子どもにとっての必要な知識や技能が、社会の中で有機的に結びついているとする感覚が失われたことを意味していた。子どもにとって必要な知識は、もはや、社会的な生活の中に求められるのではなく、専門職である教師が、子どもが獲得できるように導かなければならない、体系的で自律的な何ものかとして考えられるようになったのである。

当時、デューイ主義への批判者として颯爽（さっそう）と現れたのが、アメリカの心理学者**ジェローム・ブルーナー**（Jerome Bruner, 1915-2016）であった。彼は、科学教育の在り方をめぐって科学者たちと議論を交わし、それを『教育の過程』というパンフレットにまとめた（1960年）。その中で彼は、「すべての科学が、知的水準を保って、すべての年齢段階の子どもに教えられうる」という衝撃的な主張を行った（ただ、ブルーナーは「教えられうる」と言ったのであり、「学ばれうる」と言ったのではない）。このことは、幼児教育、初等教育においても、高等教育とは異なる特殊な原理を採用しなくてもいいということを意味した。

ブルーナーは、教科を支える基礎科学の構造、系統性を強調し、カリキュラ

ムと教授活動は、基礎科学の基本概念の系統に沿うものでなければならないとした。彼によれば、科学と教科は、同じ構造を持つものなのである。

カリキュラムの構成方法として、ブルーナーは**発見学習**を提唱する。ここで発見とは、子どもが気づいていなかった、基本的なアイデアの規則正しさ（系統性）と、それらのアイデアの間の類似性を見出していくことである。そして、構造についての一般的観念は、別のできごとを理解するためにも応用できる。すなわち、一般的構造についての理解は「転移」する。この系統性と類似性の発見という姿勢は、科学者が探究する姿勢とまったく同じであるという。教科を支える構造を認識するために、子どもは、科学者の法則の発見過程を追体験することが推奨される。系統主義とはいえ、子どもを受動的な状態に押し込めるわけではない。ブルーナーは、基礎科学の系統性と、子どもの主体的コミットメントとの折衷を図ったのである。

ブルーナーにとっての教師とは、学ぶべき対象を、子どもに身近に感じさせるように身をもって示せる演劇的存在であった。教師こそは、歴史上の科学者の発見を劇化して再現する存在であると同時に、子どもが発見しようとしている構造を、先取り的に発見して、それを劇的に子どもたちに示し、子どもたちにそれを自分たちで発見したいという意欲をかき立てるようなモデルとしての存在なのである。

本節では、近代教育思想の代表的な思想家たちの言説を紹介し、彼らの中で、教育の主体としての教師がどのような存在として位置づけられているかに着目してきた。教育の主体としての教師の定義の仕方は、当然のことながら、教育を受けるもう1つの〈主体＝客体〉である子どもをどのように捉えるかということと緊密に結びついている。

本節で見てきたように、近代教育思想には、①言葉による知識注入主義への批判、体験による直接的学びへの志向、②性善説的な子ども観に立って、体罰など子どもの身体への直接的な介入を批判し、子どもの〈心〉、内面へと関与しようとする志向、③子どもを主体的・能動的存在と見て、子ども自身の生活

体験の中から子どもの興味・関心を開発し、それを学びの原動力と捉える志向、などいくつかの基本的性格をゆるやかに共有している。しかし、近代教育思想にそのような共通点が具わったのは、近代教育思想が批判する対象、つまり現実として存在する教育という〈仮想敵〉のイメージが共有されていたからである。〈仮想敵〉としての「現実の教育＝近代教育」を批判する原理が、「近代教育思想」なのであった。前者を「現実としての近代教育」、後者を「思想としての近代教育」と仮に呼ぶのであれば、この後者は常に前者に対して依存しつつ提示されることになる。というのも、批判の対象であるところの「現実としての近代教育」が存在しないとされるのであれば、「現実」への批判原理である「思想としての近代教育」の存在意義は失われるからである。このことは、近代教育思想というのは、批判の対象としての「現実としての近代教育」に対する共通認識が変化すれば、それにつれて、その趣きを変えていくはずのものだということを意味する。

　「現実」に対して「思想」を対置するという近代教育思想の基本的姿勢は、方法的懐疑であったということができる。その意味で、「教育思想」は常に「教育現実」にリードされ続けてきたのである。それゆえ、近代教育思想に学ぼうとするわれわれは、時に立ち止まって自問しなければならない。「〈思想〉が陰に陽に批判している〈現実〉とは、いかなるものなのか？」と。

【引用・参考文献一覧】

・アリエス、杉山光信・杉山恵美子訳『〈子供〉の誕生―アンシャン・レジーム期の子供と家族生活』みすず書房、1980
・アリエス、中内敏夫・森田伸子編訳『〈教育〉の誕生』新評論、1983
・今井康雄編『教育思想史』有斐閣、2009
・カント、勝田守一・伊勢田耀子訳『教育学講義他』（世界教育学選集60）、明治図書出版、1971
・教育思想史学会編『教育思想辞典』勁草書房、2000
・小玉重夫『シティズンシップの教育思想』白澤社、2003
・コメニュウス、鈴木秀勇訳『大教授学』（世界教育学名著選2）、明治図書出版、1974
・デューイ、市村尚久訳『学校と社会・子どもとカリキュラム』講談社、1998
・ドゥモース、宮澤康人他訳『親子関係の進化―子ども期の心理発生的歴史学』海鳴社、

1990

・原聡介ほか編『近代教育思想を読みなおす』新曜社、1999
・藤井千春編『時代背景から読み解く西洋教育思想』ミネルヴァ書房、2016
・ブルーナー、鈴木祥蔵・佐藤三郎訳『教育の過程』岩波書店、1963
・フレーベル、岩崎次男訳『人間の教育Ⅰ』（世界教育学選集9）、明治図書出版、1970
・フロイト、中山元訳『自我論集』筑摩書房、1996
・ペスタロッチ、長尾十三二・福田弘訳『ゲルトルート児童教育法』明治図書出版、1976
・ヘルバルト、三枝孝弘訳『一般教育学』（世界教育学選集13）、明治図書出版、1976
・眞壁宏幹編『西洋教育思想史』慶応義塾大学出版会、2017
・宮澤康人『大人と子供の関係史序説―教育学と歴史的方法』柏書房、1998
・モンテッソーリ、阿部真美子・白川蓉子訳『モンテッソーリ・メソッド』（世界教育学選集77）、明治図書出版、1974
・ルソー、今野一雄訳『エミール』（上）、岩波書店、1962
・ロック、服部知文訳『教育に関する省察』岩波書店、1967

Chapter 3

対人援助と相談援助
——カウンセリングとソーシャルワークへの招待

第1節　人を理解するための視座や立場

　人は人から生まれ、人と人との強い絆の中で生まれ育っていく。子をもうけた人は親と呼ばれ、全身全霊をもってわが子を育み育てていく。よいという言葉の定義は困難だが、親はたとえ漠然として曖昧ではあっても子育てに何らかの理想像を描き、子が自分よりはよい成人になり、よい生活を送り、より豊かな人生を送ることを願うものである。古今東西にかかわらず、親は子の幸せを祈り、子の成長に関し何らかの理想像・イメージを抱いているであろう。そして子と共に成長する自分にも気がつくはずである。子は、目覚めたら（気がついたら）すでにここにいたのであり、世界はすでにあったのであり、自分専用のおとな（親）がすでにいたのである。自分の意志と選択で親を選び環境を選び、この世に現れてきたとは思っていない。つまり、ほとんどの親は自分の意志と責任で子をもうけるが、子は自分の意志と責任でこの世に現れたわけでは

ない。そしてすべての親もかつては子であった。

　乳幼児期から思春期辺りまでの期間は、人にとって、その人の人生にとって最も重要な時期であろう。その期間に生きる新生児・乳幼児や小学生にかかわる保育士や幼稚園・小学校の先生という職業は、他の職業よりも、乳幼児期や児童期の子どもの発達にかかわる部分において、大切で重要な仕事であり、責任も甚大である。

　昨今、保育士や幼稚園・小学校の先生は、多様なニーズに対する対人援助職としても期待されてきている。対人援助とは、援助の対象となる人そのものに個別具体的にさまざまな援助の方法を駆使しながら支援・援助をすることである。相談援助とは対人援助の前提となる、「いつ」「誰が」「何を」「どこで」「どのようにして」支援するかを決めていく相談の場における言語的支援や助言をいう。

　そして、支援・援助が的を射て妥当適切であるためには、対象となる人を、より正確に理解するということが重要である。つまり、人を支援・援助するためには、まずは対象者を「正確に理解する」ということから取りかからなければならない。

1. 対人理解の情報の窓口と入り口

　対人理解の情報の入り口は５感覚器官である。つまり、目、耳、鼻、皮膚、舌の各器官といえる。人は、それらの感覚器官を統合的に駆使して、入ってくる情報を認知し理解しようとする。人はそれら５感覚器官の拡大延長機能を求めて、さまざまな感知・測定・計測器を創り出してきた。

　見るための道具として、光学顕微鏡、電子顕微鏡、診療Ｘ線画像撮影装置、CTスキャン装置、MRI装置、超音波画像撮影装置、サーモグラフィ装置、内視鏡装置等々、さまざまな道具を創り出し、どこまでも眼で見ようとする。また検体を取り、さまざまな解析機器を使い、数値化・グラフ化・文書化して眼で見て判断しようとする。

　聞くための道具として、聴診器やイヤホーンなどから情報を収集し、眼から

の情報と合わせて判断しようとする。各種情報収集の機器道具類は科学技術の進歩発達の成果である。通常、人を理解しようとする時は、視覚・聴覚・嗅覚・皮膚感覚の4つの感覚と、各種各様の感知・測定・計測機器類など科学技術の成果の機器道具類を使って得られる情報をもって、対象者を総合的に認知し理解しようとする。

2．対人理解の立場

　人を理解しようとする立場をどこにおくかと考えた時、その立場は「科学」においた方がよいだろう。そして、科学が科学であるためには要件が2つあると思われる。その2つの要件は、次のようにいえるのではないだろうか。

　まず第一に、**客観性**が挙げられる。実験可能で、再現可能、追試験可能であり、かつ論理的で整合性があるということである。第二に、**公共性**が挙げられる。誰でも利用できて、何人も恩恵にあずかれることである。この2つが科学の要件として挙げられるだろう。

　そして最も科学らしい科学は、自然科学（物質科学）と数学であろう。

　脳科学も、人間を物質科学的に理解しようとしている。では、このような立場から、人の「どこ」を「何」を「みる」「きく」などすればよいのであろうか。

　人は目の動物であるといわれている。脳の情報処理の8割程度は視覚情報によってもたらされているということである。つまり人は主に眼からの刺激・情報によって活動しているといっても過言ではない。よって“みる”という漢字はざっと数えるだけでも、見る・視る・観る・覧る・看る・診ると6つもあることを見出す。ちなみに、耳できくという意味の「きく」という漢字は、聞く・聴く・訊くの3つくらいであろう。立場を科学におき、五感を総動員して、対象者を認知し、理解を深めようとする。その時、対象者のどこを、何を「みる」、「きく」べきなのかを考えてみよう。

第1節　人を理解するための視座や立場　59

3. 人のどこを「みる」「きく」とよいか

(1) 身体（体）

　身体とは、皮膚も含めた、その内側のすべてをいう。身体をみることができる専門家は医師をはじめとする医療関係者である。皮膚も筋肉骨格系も循環器系も消化管系も脳や神経系などもすべてが皮膚の内側にある。その営みや働きは、精神（心）にも影響している。人をより正確に理解するためには身体もみる必要がある。

(2) 精神（心）

　精神とは、心、マインド、パーソナリティ、魂、性格、知性、創造性などを含むため定義が困難である。精神（心）そのものは目に見えない。**性格（キャラクター）** と **知的機能（知能）** と **創造性（興味・関心・ニーズ・創意工夫性・発明発見力）** が統合されたものといえるだろう。それを人格（パーソナリティ）と呼んでも日常生活の中では差し支えないだろう。その源泉は脳であり、脳の指令で筋肉系が動き骨格系も動き、その動き（行動）を読み解く事でしか「精神」は理解できないのではないだろうか。ちなみに微妙な表情も消化管の蠕動運動も心臓の脈動も四肢の動きも、皮膚の内側のすべての動き（行動）は筋肉系とそれにともなう骨格系の動きの現れである。科学において行動という言葉はたいへん広い意味を持っている。人を理解するというと、ほとんどの場合「精神」を理解するという意味になるといっても過言ではないだろう。脳が生きている証は広い意味での行動として現れ、行動を読み解けばその人の精神活動も読み解けるという関係にあると思われる。

(3) 環境

　環境は、**自然環境と人間環境**（社会環境）から構成されている。皮膚の外側の世界である。この世界からの情報入力は人の精神にも多大な影響を及ぼす。環境からもたらされる情報は、よく考えてみるとすべて物理的なものだということに気がつくであろう。見えるということは光（電磁波）情報であり、聞こえ

るということは環境に存在する、たとえば空気などの音波による情報である。液体も固体も「音波」を伝える。熱い、冷たい、暑い、寒い、硬い、柔らかいなどの感触も気体や液体や固体などの分子運動などを皮膚の感覚器官を通して人の脳が感じ取るものである。環境からの物理的な刺激を受けとめ、それを解釈し意味をつけて覚えておくのは精神つまり脳の働きであるといえるだろう。環境も人の精神に影響しているということは、人をより正確に理解するためにもその人の環境を知る必要があるということになる。

(4) 生活の仕方（暮らしぶり）

生活の仕方（暮らしぶり）に適切さを欠き、それが長期間続くと、いわゆる「生活習慣病」や慢性疾患に陥ることもある。その人をより正確に理解するためには、その人の生活の仕方（暮らしぶり）も知ることが望まれる。

以上のように、対象者をより正確に理解するためには、生物的、社会的、心理的視点から総合的に、「みる」「きく」などする必要があるといえるだろう。

4. 人をより正確に理解するための具体例

科学的立場に立ち、知ろうとするものの測定尺度（ものさし）を作り、物質科学的に測定し、数学を使いながら数量的に表し査定することが最も適切だろう。簡潔明快に言うならば、**物理的に測定し数学的に表す**ということである。

ここで、医師が患者を理解する仕方をみてみよう。医師の仕事をみていると、問診があり視診があり聴診があり、触診がある。嗅覚は臭うに任せ、わざわざ「患者さん、臭いを嗅がせてください」とは言わない。味覚は使わない。すなわち、問診では「どうされました？　いつから具合が悪いですか？　どこが痛いですか？　どのような痛みですか？」等々……医師自身の聴覚を使って、患者が言う具合の悪さを傾聴していく。そして患者の言語報告だけにとどまらず、聴診器という道具を使って体内の音まで聴こうとする。

次に、「服を脱いでお腹をみせてください」等と指示して患部を調べようとする。まず、手で触ったり圧迫したり、両方の手の指でトントンと軽く叩いた

第1節　人を理解するための視座や立場　61

りして、自らの皮膚感覚を使って確かめる（触診・打診）。さらに、必要と判断した場合にはX線を照射して平面画像を視たり立体的画像を視たりする（CT画像診断）。または磁気を照射して、より正確・精密な画像を視ようとする（MRI画像診断）。それに加えて小型カメラ付きの管を入れて直接内蔵壁を視ようともする（内視鏡画像診断）。さらに脳内の血流量や温度分布まで画像映像化し目で異常を見つけようとする。超音波照射による画像診断も同様である。とにかく徹底して極力目で視ようとする。つまり、できる限り可視化して病変の原因となる場所を特定しようとするのである。

　また、血液、尿、便の採取、口内や喉の体液の採取や、内視鏡付属の小さな道具で患部（検体）を少しだけつまんで採ってきて、それらの中に体調不良の原因となる物が入っていないかどうか、徹底して調べ上げ、その結果を物質名と数値で一覧表にしたり箇条書きにしたりして表記する。その表記された物質名と数値を医師は目でみながら診断を下し、検査結果表や音声で患者に伝える。患者はそれを目と耳で受け止め、つまり視覚と聴覚で自分の病変を知る。医師は味覚以外の4感覚を総動員して、患者の体調不良の原因を特定し、治療計画を立てようとする。精神科の医師も、味覚以外の4感覚を総動員して患者の精神の不調をより正確に理解しようとする。

　次に、精神状態を理解するためにはどうするかについて考えてみよう。

5.　精神（パーソナリティ）を理解するにはどうするか

　精神（パーソナリティ）を理解するには前述のように、対象者の**行動を読み解く**しかないと言えるだろう。行動とは筋肉・骨格系の運動のことである。表情も言語活動も外部にみえる身体運動も、皮膚の内側の心臓の動きも消化管の蠕動運動も白血球・赤血球・血小板などの顆粒球の流れもすべて行動ととらえることができる。生きている限り筋骨格系は必ず行動する。

　死体は反応しない。つまり行動しない。脳も反応しない。しかし生きている人の脳の断層撮影画像などの映像を、いくら時間をかけて見ていても、その人の性格・知性・創造性などはわからない。精神（パーソナリティ）を認知し理

解するためには、脳が発する電流指示のもとに動く筋骨格系の大きな動き、言語活動や表情という筋骨格系の小さな動き、つまり広く行動を探りながら読み解くしかないであろう。筆記試験やアンケート調査なども手指が回答項目のどれに○を書いたか、どの項目を HB の濃さの鉛筆で塗りつぶしたか等の手指の行動の結果を集計してその人の理解度や意向を読み取っているのである。

　子どもの心の状態や知的機能の働き、および興味・関心事やニーズ・意欲などの創造性を理解しようとする場合も同様である。子どもの行動を読み解いていくことである。

第2節　相談の仕事と対人支援

1.「相談」の仕事の概要

　相談業務の分野や種類を概観すると、健康・医療相談、心理相談、福祉相談、教育相談、法律相談、就職相談、結婚相談、生活安全相談、最近は終活相談まで、何にでも「相談」という 2 文字を付け加えると「○○相談」になる。人は前に進もう、努力しようとすると、迷ったり判断しかねたり混乱したり不安になったりすることがあるものである。そのような時に身近な人に聞いたり専門家に「相談」する。「相談」は私たちの身近にあり、軽い内容のものから苦渋に満ちた重い内容のものまで実に多種多様である。相談内容の種類によって、応じられるさまざまな専門家がいる。どんな内容の相談であれ、自他共に重大な影響を及ぼす内容であればあるほど、相談を持ち込む人の心も穏やかではないはずである。

　「心」を表す日本語も、「内心」、「気持ち」、「精神」、「志」、「魂」、等さまざまな言葉がある。英語の単語にも「心」を表す言葉として「mind」、「heart」、「soul」、「spirit」、等いくつかの単語が見つかる。

　「心」という言葉は気軽に使われている用語であるが、「内心」と言うべきか、「魂の叫び」、「本音の叫び」を聴き取ることは実は容易なことではない。相談を受ける専門家側に立つ者はある程度以上の学識と訓練を要すると思われる。

彼らは「カウンセリングの心得」を十分に咀嚼し吟味し血肉化していることが必要である。相談を受けるということは、相談する人を尊重し、その人の言・動を真摯に受けとめ、心情・感情にも共感しながら幅広く１つ１つ理解を深め積み重ねて行くということである。不意に助言を求められても妥当適切に応答することが求められる。

2. 心理カウンセリングとは

　一般にカウンセリングというと、広い意味のカウンセリングと限定した意味のカウンセリングがある。広い意味のカウンセリングとは、たとえば、教育カウンセリング、就職カウンセリング、法律カウンセリング、結婚カウンセリング、心理カウンセリング等、いろいろな生活場面や人の活動領域における専門的な相談援助行為を言う。一方、狭い意味のカウンセリングとは、心理カウンセリングのことをいう。

　通常はカウンセリング（counseling）というと、心理カウンセリングのことを言い、それは「専門的な手続きに基づく相談。または、その技法。個人の持つ悩みや不安などの心理的問題について話し合い、解決のために援助・助言を与えること」であり、「学業や生活、人間関係などで悩みや適応上の問題をかかえる人に対して、心理学的な資料や経験に基づいて援助すること」である。

　心理学事典によると「一般にカウンセリングは、ガイダンスを中心においた比較的表層的な適応行動への援助であり、心理療法は人格の深層にかかわる問題の治療的援助活動であると区別されている。しかし今日ではこの両者は区別されずに用いられることが多く、カウンセリングと深層的治療活動とはしばしば同義に用いられる」とある。

　その、心理カウンセリングを行う者を心理カウンセラーといい、一般的には、略して「カウンセラー」と呼ぶことが多い。

　カウンセラーとは「学校・職場・医療施設・社会福祉施設などで、一身上の悩みや問題を持つ人に面接して相談相手になる人。助言者。相談員」のことを言い、別の表現で言うと「臨床心理学などを修め、個人の各種の悩みや心理的

問題について相談に応じ、解決のための援助・助言をする専門家」ということができる。また「来談者との面接や面談などを通して、その内面への治療的、予防的、および、進展的な援助・支援を行う心理臨床的な専門家をさす」ということもできる。

　カウンセラーには学習研究の態度と学識をベースにしたカウンセリング経験、および奥深い人生経験が求められるといっても過言ではない。

3.　カウンセラーやソーシャルワーカーの選定

　カウンセラーもソーシャルワーカーも、文字・数字・記号・言葉・画像・映像を使って支援する。広い意味での言語（言葉）による支援者である。生理学的検査や物理学的検査、投薬や注射や点滴などは行わない。

　文字・数字・記号・言葉によって人は変わり得る。文学作品を読むことや絵画、映像・映画を観ることによって人は感情を揺さぶられ癒やされたり勇気づけられたりする。視覚や聴覚などからの刺激や情報によって、人は自分の脳の神経回路（シナプス結合ネットワーク）を新たに作り替えたりしている。新たに作られた神経回路や修正されて新しくなった神経回路は、再び世界の新たな見え方や感じ方を生む。学習とはそういうものであろう。言語刺激や情報は薬と同じような、あるいはそれ以上の影響を脳に与えるといえるだろう。

　人は、生活に行き詰まれば、心も混乱し苦悩も生じる。また逆に、心が混乱し苦悩すれば、生活も行き詰まりやすくなる。言い方を変えれば、精神的に不調になれば生活も困窮しやすくなるし、生活に困窮すれば精神的に不調に陥りやすくなると言える。苦悩と生活態度や状況との間には関係性がある。

　日常生活の困窮感が強ければ、つまり、経済的に生活が行き詰まっていたり、高齢者の介護や子どもの世話をめぐり生活の困難さが募っていたりしている場合は、まずは**福祉士**に相談するとよいだろう。福祉士は高齢者福祉、介護保険制度、児童福祉、生活保護、精神保健福祉などの各種の社会資源や各種福祉制度等に詳しく、その利用法や活用法に詳しいし、相談に現れた人のニーズ、希望、支援を受けるべき程度などを理解し、適切に支援者や支援機関につなげて

第2節　相談の仕事と対人支援　65

くれる。必要に応じ家庭訪問も実施し、状況をよく把握した上で妥当適切な対応をしてくれるのである。

心理的に行き詰まり苦悩を感じる時には、**公認心理師**や**臨床心理士**などの心理カウンセラーにまずは相談するとよいだろう。自分の内面の苦悩の自己分析ができず、表現困難で得体の知れないもやもや感やもの悲しい気持ちやイライラ感や恐怖感などに苛まれる場合にも、まずは心理カウンセラーに相談するとよいだろう。

1人で悶々としたり、長期間1人でもの思いにふけったり考え込んだりするよりは、心理カウンセラーに胸の内を開示してみると、何かに気づき、何かが開けるかもしれない。心理カウンセラーは一種の触媒のような働きをすることがあるので心理カウンセラーの言葉で新しい世界の扉に気づくかもしれない。

幼児や児童自身が心理カウンセラーやソーシャルワーカーの面前に相談に来ることはほとんどないと言える。幼児や児童は言語表現が未発達な段階で、自分の内面や自分を取り巻く情況を上手く認知できないし表現できない。幼児や児童は自分の意にそぐわない状況に苦悩しているというよりも苦痛を感じていると言った方が適切だろう。苦痛を感じている状態における身体の運動表出は成人よりもはるかに多いのでおとなは幼児や児童のボディーランゲージ・身体の運動表出に留意する必要がある。

幼児や児童の関係で心理カウンセラーやソーシャルワーカーの面前に相談に行くのは、ほとんどの場合両親などの保護者や親権者であり乳幼児の代弁者でもある。子にとって親は、広い意味でも狭い意味でも、心・身の安全基地である。とくに母親は新生児や乳幼児にとっては母子共生という用語もあるように、一心同体であり心・身の安全基地である。

4. カウンセラーとソーシャルワーカーの役割の相違点

一言で言うと、公認心理師や臨床心理士などの心理カウンセラーは心理職であり、役割は人の内面への支援であり、対象者の内面参入関与者と言える。

それに対して社会福祉士や精神保健福祉士などのソーシャルワーカーは福祉

職であり、役割は対象者の生活状況やニーズを重視して環境へ働きかける生活支援と言える。その中で精神保健福祉士は精神保健福祉法に詳しく、精神科領域の患者さんの生活支援者である。

　また、心理カウンセラーは心理学に詳しい内面のサポーターであり、ソーシャルワーカーは社会資源に詳しい生活支援サポーターといえる。

　心理カウンセラーとソーシャルワーカーなど福祉士の仕事の違いは次のようにまとめられる。

(1) 心理相談業務（カウンセラーの仕事）

　心理相談の仕事においては、対象者の内面に焦点をあてる。対象者とは混乱・苦悩し、心の支援・援助を求める人のことであり、その目的は、対象者が自律的に生きていけるように啓発・助言することである。心理職の理想の形は、よい触媒になることかもしれない。

　そしてその方法は、人間学を有効に活用し、内面（精神）に関与して内面の調整を図る（ものごとの受けとめ方・解釈意味づけの仕方・感性・思考・記憶の調整とバランスを図る）ことである。ここにいう人間学とは、人間科学とα〔スポーツ＋哲学＋芸術（聴覚・視覚・身体・味覚芸術）＋宗教学など〕を総合したものと言える。また、その主な心得・心構えは、「自己一致、無条件の肯定的関心、共感的理解」（ロジャーズ（Carl Ransom Rogers）の3提唱）やイーガン（Gerard Egan）の援助モデルを基本にすえるとよい。

(2) 福祉相談業務（ソーシャルワーカーの仕事）

　福祉相談の仕事においては、対象者の環境に焦点をあてる。対象者とは広い意味で生活に行き詰まり苦悩が大きくなって生活の支援・援助を求める人のことであり、支援・援助者の目的は、その対象者を自立的に生きていけるようにすることである。そしてその方法は、環境に関与し、法に基づき社会資源を有効に活用しながら環境の調整を図り、生活を支援・援助することである。

　また、その主な心得・心構えは、「個別化、感情表出許容、統制された情緒

的関与、受容、非審判的態度、自己決定支援、秘密保持」(バイステックの7原則)を基本にすえるとよいと思われる。福祉士には、より具体的に力強く対象者を良好な生活へと導くことが求められる。

　ちなみに、憲法第25条は、心身両面の健康のことに言及していると解釈できる。**WHOの健康の定義**は「Health is a state of complete physical, mental and social well-being and not merely the absence of disease or infirmity」であり、その意味は、「健康とは、肉体的、精神的及び社会的に完全に良好な状態であり、単に疾病又は病弱の存在しないことではない」(「厚生労働白書」平成26年版)である。「完全に」という用語が少々気になるところだが、心理相談にとっても福祉相談にとっても指針になる。

5. 相談援助業務の心得・心構え・作法

　心理相談業務(カウンセリング)も福祉相談業務(ソーシャルワーク)も、その仕事の始まりは、ほとんどの場合、対象者からの相談で始まると言える。そこには相談に応じる側の理論的体系、心得・心構え、倫理道徳感、礼節・礼儀というものがある。前述の、カウンセリングや心理療法の心得・心構えを次のように示す。

(1) ロジャーズの3提唱

　ロジャーズ(Carl Rogers)はアメリカの心理学者で、クライエント中心療法の創始者である。厳格なプロテスタントの家庭に育ったといわれている。農学、史学、神学と多様な領域を学んだ後、1931年コロンビア大学で教育心理学と臨床心理学の学位を取得した。彼は独自の人間観に立った新しい心理療法を展開し、『カウンセリングと心理療法』(1942)に既存の指示的療法とは正反対の治療観を示して大きな議論を巻き起こした。これは当初、非指示的精神療法と呼ばれたが、後にクライエント中心療法と称されるようになった(現在は人間中心療法と呼ばれている)。その中のいくつかの提唱のうちの3つは、カウンセリングや心理療法を行う際の重要な心得・作法といわれている。

68　第3章　対人援助と相談援助——カウンセリングとソーシャルワークへの招待

① **自己一致（真実性・透明性）**

カウンセラーがクライエントとの場で経験し感じていることと、表出される態度や言葉が一致してることである。相手への嫌悪を表面的な共感や理解の言葉で覆っている姿勢などは透明ではないとされる。治療者が自己を偽らず、関係の場において自己一致している時、クライエントに真の理解者として向きあっているのである。

自分が自分であること。対象者に合わせて自分を偽るということのないようにすること。面接している時に対象者に対して自然に生じてくる感情・心情は、これを無理して偏向したり否定したりせず、そのまま受けとめておくこと。

② **無条件の肯定的配慮（肯定的関心）**

カウンセラーはクライエントのどのような考え、感情、行為をも選択的にではなく受容する（この受容は、承認や是認と異なることは注意すべきである）。このことを通じてクライエントは自分の経験を選択的に評価したり、歪曲して知覚したり、意識化を拒否したりする防衛から解放されることを学ぶ。

対象者がどのような人であろうとも（老若男女の差別なく、肌の色や出身地に関係なく、障がいの有る無しに関係なく、心情・感情や思想に関係なく）、無条件に関心を寄せること。

③ **共感的理解**

相手の枠組みの中に入り込み、相手の皮膚の内側に入り込んで相手の感情を共感できて初めて相手の世界を理解できるし、またその理解を伝えることができる。

来談者の感情・心情（喜怒哀楽の情感）がこちらにも伝わってきたら、共に泣き・笑い・悲しみ・怒ってもよいということ。但し、こちらは取り乱してはいけない。また、来談者に対して礼節をなくしてはならない。

（2）バイステックの7原則

バイステック（Felix Biestek）は、アメリカのケースワーカーで社会福祉学者である。著書『ケースワークの原則』（1957）で、よりよい援助関係とはどうい

第2節　相談の仕事と対人支援　69

うものであり、どうすればそうした関係性を作ることができるのかという問題を提起して、よりよい関係を結ぶ際の原則を7つに整理した。それは現在、ソーシャルワークの個別援助技術の心得・作法として認識され、バイステックの7原則といわれている。

① 個別化

対象者の生活課題の個別性を援助者がよく認識すると共に、対象者一人一人の固有性を理解した上で処遇すること。

② 感情表出の許容

援助者は、対象者自身の感情、とりわけ否定的な感情をできるだけ自由に表現することを許容し、それを対象者への援助に有効に用いていくこと。

対象者の生々しい感情や心情の露呈にこそ、対象者の苦悩の核心的部分が潜んでいることを心に留めておくこと。但し、こちらは取り乱してはいけない。対象者に対して礼節をなくしてはならない。

③ 統制された情緒的関与

対象者から表出された感情の意味を援助者が理解し、援助者は専門的対人関係の中で妥当・適切に反応すると共に援助者自身の感情に押し流されないように自己統制すること。援助者は取り乱してはならない。

④ 受容

援助者が、あるがままの対象者を人間として受け入れること。対象者の課題を表面的にのみ把握するのではなく、あくまでも対象者の生活の実情に即した態度によって接すること。

⑤ 非審判的態度

対象者の行動、態度、感情などについて、援助者が自分の倫理観、価値観で判断するのではなく、対象者本位の在り方を認めること。

⑥ 自己決定支援

対象者が自己の責任や権利を自覚し、自分の行動を決定できるよう、援助者は側面的に援助すること。過干渉・過保護になって指示命令することのないように注意すること。

⑦ 秘密保持

対象者の権利を守るために個人的な情報を一切他に漏らさないこと。退職した後もこの義務は継続して守ること。

(3) イーガンの援助モデル

イーガン（Gerard Egan）は、心理職だけでなく幅広い領域の援助者に応用可能な援助的面接のプロセスを3段階に分けている。そこには、コミュニケーション技能の土台として、敬意（対象者を尊重する）と、純粋性（対象者のあるがままの感情を受け入れる）という2つの価値観がある。3段階の中の第1段階で用いられるコミュニケーション技能には、以下の4つの項目がある。

① かかわり（attending）を持つ

相手と心理的に正面から（Squarely）、腕や脚を組まず開放的な姿勢をとる（Open position）、やや身を乗り出す（Lean）、適度に視線を合わせる（Eye contact）、リラックスする（Relaxed）、の5つのポイントである。この英語の頭文字をとって"SOLER"という語で表すことができる。

② 傾聴する（listening）

面接者がクライエントのメッセージに注意を向け理解しようとして聴くことである。その際、無条件の肯定的配慮をもってクライエントの話すことをよく聴きとめること、言語報告も非言語的行動も両方ともよく観察し読み解くことである。また、クライエントのものの見方、主観的な現実を共感的に理解しようとする態度と共に、客観的な現実の把握も必要である。

③ 共感する（empathy）

感情移入的にも傾聴するということである。イーガンは共感を"相手の心の世界に入って理解し、その理解したことを相手に伝える能力"として定義している。つまり、共感を漠然とした態度や目標ではなく、1つのコミュニケーション技能としてとらえている。クライエントの言動の内容を察したり感じたりするだけでなく、クライエントが自分の状態をどのように受けとめているのかを共感的に理解して応答する技能が求められる。

第2節 相談の仕事と対人支援　71

表 3-1　心理相談業務・福祉相談業務の差異

魂の叫びに迫る、ニーズ（生活課題）に迫る（拝聴・傾聴する）、QOL の向上を図る

心理相談業務の特徴 （カウンセラーの業務の特徴）	福祉相談業務の特徴 （ソーシャルワーカーの業務の特徴）
心理的支援 《魂の叫びに迫る（傾聴する）》	社会的支援 《ニーズ（生活課題）に迫る（傾聴する）》
自律支援（心理職） 主に内面に関与し調整を図る ◎内面（内界）混乱・苦悩者救済 ◎内面（内界）支援 ◎感性・思考・記憶の調整・バランス・成長を図る	自立支援（福祉職） 主に環境に関与し調整を図る ◎社会的弱者救済 ◎生活支援（経済的支援を含む。現物給付・現金給付など） ◎生活環境の調整・改善を図る
◎人間学の有効活用を図る	◎社会資源の有効活用を図る
心　得 ＊自己一致・無条件の肯定的配慮・共感的理解（ロジャーズの 3 提唱） ＊個別化・感情表出の許容・統制された情緒関与・受容・非審判的態度・自己決定支援・秘密保持（バイステックの 7 原則） ＊かかわり・傾聴・共感・探索（イーガンの援助モデル）	
◎心理相談業務と福祉相談業務の線引きは難しい・相互乗り入れ・連携	

④ 探索する（probe）

　クライエントが語るのを援助して問題を探り、問題点をより具体的に明確にするために質疑応答することをいう。この時、礼節・マナーをもって質疑応答し、土足で人の家に入り込むような態度は決してとってはならない。

　カウンセラーとソーシャルワーカーの目的は類似しており、対象者の QOL（クオリティーオブライフ）の向上を図ることである。しかし、目標と役割と方法に違いがある。両者の職務や類似点と相違点を表にまとめると表 3-1 のようになる。

第 3 節　対人支援の方法

1. 支援方法の分類

支援方法は大きく分けて次の 3 つの方法が考えられるだろう。

(1) 物質的支援（物理的支援）

現物を提供して支援するという方法である。空気、水、食べ物、清潔で安らげる居場所、心地よい衣類、医薬品・医療用品、介護用品などを提供し、またはそれらを手に入れる方法を教えたり、助言したりして支援するというやり方である。

(2) 法的支援

制度や法体系を活用・提供して支援するという方法である。生活保護法、児童福祉法、社会福祉法、介護保険法、成年後見制度などの法体系や制度、そこに定められている援助機関や援助の受け方などを対象者に示し、法的根拠をもって支援する。法的な支援体系がない場合には、法律や制度を作るように行政に働きかける。

(3) 心理的支援

感情・心情にも関与し内面の安定と成長を図る。自ら支援を要請する手段を持っていない対象者については、必要に応じてニーズの代弁者になって言動する。多くの場合、支援は複合的・統合的に行われる。人の社会の中での人への支援であるから、5W1Hをわきまえた中での支援でないと「砂上の楼閣」、「絵に描いた餅」のような曖昧模糊とした様相になってしまう。つまり、支援や援助とは「誰が」「どこで」「何を」「誰に」「どのようにして」支援するのかを念頭におきながら、要請に応じ、その内容をよく吟味検討しながら、個別具体的に、妥当適切にタイミングよく行動していくという道筋になるだろう。

2. 自己決定とインフォームド・コンセントの意義

何にでも、どんなことでも、限度・限界というものがある。憲法第25条（**国民の生存権、国の保障義務**）の第1項は、次のように書かれている。

「すべて国民は、健康で文化的な最低限度の生活を営む権利を有する」

福祉的にも、「健康で文化的な最低限度の生活を営む権利」を保証するにと

第3節　対人支援の方法　73

どまる。公的な資金、つまり国民が税金や保険金として出し合っている資金は、「最低限度の生活」までしか保証できないのである。

　自分の資金を使っての私的支援であれば、限度は支援者が決めればよく、限界を設ける必要もない。そして、生活支援の領域においても、内面支援の領域においても、公的支援であっても私的支援であっても、その支援が有効ではなく意味を持たない場合がある。どのような場合に支援が無効・無駄に終わるのだろうか。それは2つの場合が考えられる。

　自助努力のない人には無効に見えるということと、支援・援助・助言・啓発を求めない人には無効に見える、ということである。

　自助努力の見られない人に対する支援は、その対象者にとっては「単なるおせっかい」、「過保護・過干渉」、「余計なお世話」等々にしか映らず、対象者の逆恨み、逆ギレ、逆効果をさえ招いてしまうことがある。この場合、支援者はイネイブラー（被支援者には一向に支援効果が現れず、際限もなく支援を受け続けることを可能にしてしまっている支援者）であり、イネイブリング（被支援者が際限もなく支援を受け続けることを可能にしている支援行為）しているだけに終わる。そこには被支援者の「支援を受け自己成長したい」という**自己決定**に基づく支援という意味合いは見られず、被支援者の自己成長も生活改善も見られない。

　また、支援・援助・助言・啓発を求めない人に対する支援者の一方的・独善的な支援は、同様に、あるいは思想信教の自由に対する人権侵害などの違法行為として法的に訴えられることさえありえるといえよう。支援者の善意も悪意として受け取られ、支援行為も迷惑千万と受けとめられることもありえるということである。世の中は"話せばわかる"、"話せば必ず通じ合える"という人ばかりでできているわけではないし、成り立っているわけでもないといえよう。客観的・公共的には支援・援助を受けることが必要と判断されても、そのことにほとんど気がついていない、あるいは気がつきにくい人もいる。支援者はそのような人に十分に丁寧に事情や状況を説明し、納得と了解のもとに必要な支援を受けるように導く努力も続けることが必要である。

　支援・援助は、相談事・話し合いから始まり、**インフォームド・コンセント**（正

しい十分な情報をやり取りし、双方が了解した上での合意）や、支援の対象者や後見人（補助人・保佐人・後見人）の了解と“支援を受ける”という自己決定の範囲の中で実施されるものだといえるだろう。

【引用・参考文献一覧】

・藤永保編『心理学事典』平凡社、1999、pp.74-76
・長田久雄編『看護学生のための心理学』医学書院、2016、pp.162-163
・福祉士養成講座編集委員会編『社会福祉原論』中央法規出版、1992、pp.174-175
・中島義明・安藤清志・子安益生・坂野雄二・繁桝算男・立花政夫・箱田裕司 編『心理学辞典』有斐閣、2002、p.906
・事典刊行委員会『社会保障・社会福祉大事典』旬報社、2004、p.650
・養老孟司『バカの壁』新潮新書、2003
・日本心理学諸学会連合心理学検定局編『心理学検定　基本キーワード』実務教育出版、2015、pp.172-173

Chapter 4

教育相談と子どもの発達

第1節　教育相談とは

　教育相談には広義の教育相談と、狭義の教育相談がある。前者は相談を主な手段として、教育に関連する問題や課題をもつ児童生徒を援助することであり、児童相談所や家庭裁判所でも行われる（児童相談、福祉相談）。一方、後者は学校で行われる教育相談のことである。本章では学校での教育相談について話を進めていくこととする。

　教育相談によく似たものに生徒指導がある。教育相談は生徒指導の一環であり、生徒指導が主に集団に焦点を当て、集団としての成果や変容を目指すのに対して、教育相談は主に個人に焦点を当るため進路指導を含む個人の内面の変容を目指していく点に相違点がある。文部科学省は「教育相談は、一人一人の生徒の教育上の問題について、本人又はその親などに、その望ましい在り方を助言することである。その方法としては、1対1の相談活動に限定することな

く、すべての教師が生徒に接するあらゆる機会をとらえ、あらゆる教育活動の実践の中に生かし、教育相談的な配慮をすることが大切である」として、児童生徒それぞれの発達に即して、好ましい人間関係を育て、生活によく適応させ、自己理解を深めさせ、人格の成長への援助を図るものとしている（中学校指導要領、2010）。そのため、より良い教育相談を行うためには、発達心理学や認知心理学、学校心理学などの知識を備えるとともに、計画的、組織的に情報提供や案内、説明を行って実践することが必要である。

　一方、教育相談の形式や相談内容は、時代の変化に応じて何度も変化してきている。近年での大きな変化には、いじめなどの問題が深刻化したことを背景とした**スクールカウンセラーの配置**の開始（1995）がある。しかし、現状は学校教職員に占める教員以外の専門スタッフの比率が国際的に見て低く、複雑化・多様化する課題が教員に集中し、授業等の教育指導に専念しづらい状況にある。そのため、文部科学省は多方面の専門スタッフ（スクールカウンセラー、ソーシャルワーカーなど）が教職員と連携し、校長のマネジメントの下、「**チーム学校**」として責任を伴って学校運営に参画し、教員がより教育指導や生徒指導に注力できるような組織運営体制を構築していくことを求めている。

1. 教育相談の役割

　教育相談には大きく①**問題解決**、②**予防**、③**開発**の3つの役割がある。問題解決では、いじめや不登校といった学校不適応の問題を抱える児童生徒への支援を行う役割を、予防では、不適応に陥りそうな児童生徒の**早期発見・早期対応**の役割を、そして、開発では、全児童生徒の精神的健康を維持増進する役割をもつ。

2. 教育相談の特質

　教育相談の対象者は、当然**すべての児童生徒**である。また冒頭に述べた通り教育相談の実践者はすべての教員が教育活動を通して適宜行うものであり、教員であればだれでも身に付けなければならない教育方法の1つである。教育相

談はあらゆる機会や場所で行われるため、教育相談の形態には、個別相談、一人の教師と複数の児童生徒で行うグループ相談、三者面談のような複数面談、電話やメールを使った相談、呼び出し相談、チャンス相談（学校生活での偶然の機会を利用して行われる教育相談）など様々ある。

　学校で行われる教育相談の利点として、①問題の早期発見・早期対応ができること、②援助資源が豊富であること（担任、教育相談担当委員、スクールカウンセラーなど）、③教育相談機関や福祉、医療などとの連携がとりやすいことがある。しかし一方、課題として、①連携をとる際の秘密保持や個人情報の保護など共通認識をもつ事が困難であること（学校における守秘義務は、情報を「校外に洩らさない」（生徒指導提要）という意味であるのに対して、病院やクリニックなどの治療機関ではより厳密な秘密保持が義務付けられている）、②実施者（教員）と相談者（児童生徒）が同じ現場（学校）にいるため、教員の中で児童生徒に対する指導と援助に葛藤が生じることなどがあげられる。

3. 教育相談の意義

　教育相談では児童生徒の成長促進や問題解決のために。様々な支援が行われる。こうした支援を担う教育相談は、重要な「教育活動」の一環であり、その意義があるといえる。

① 教師と児童生徒の信頼関係（**ラポール**）の形成

　教師と児童生徒の関係では、教師による一方的な関係になりやすいが、教育相談の中では教師が児童生徒それぞれと対話できるため、ラポールを築く絶好の機会となる。そしてまた、ラポールの形成は円滑な教室運営のためにも重要である。

② 児童生徒の全人的な成長への支援

　教育相談では、児童生徒それぞれの発達に即して、好ましい人間関係を築き、自己理解の深化、自主性や責任感を身につけることができるような指導・援助を行う。

③ 児童生徒の心理的な問題解決

児童生徒が抱いている悩みや苦しみを解決すること。また、定期的に教育相談を行うことで、問題の早期発見、早期解決の一助となる。

④ 教師の児童生徒への見方の変化

研修などを通して、それまでの児童生徒に対する視点を変え、より良い支援が行えるようになる。そして、ラポール形成にも有効である。

⑤ チーム支援体制の確立（**チーム学校**）

教師、校内の生徒指導、教育相談担当職員、スクールカウンセラーなどの学内の教職員、場合によっては郊外の関係機関職員を加えたチームを作り、チームとして児童生徒の困難や問題に関する検討、実施、検証を行う。このことによって、教師1人が問題を抱え込んでしまうことなく、また専門家が入ることでより効果的な支援を行うことができる。

第2節　教育相談の3つの支援方法

教育相談の中で行われる最も代表的な支援方法には次の3つある。いずれの手法を用いるにせよ、相談者（生徒）の話に耳を傾け（**傾聴**）、「この先生は、信用できるから自分の悩みを話すことができる」といった信頼感を得た上でなければ、効果的な教育相談は期待できない。

1. 指示的方法

学生相談の草分けとされるウィリアムソン（Edmund Williamson）が、「人間は基本的に合理的な問題解決能力をもっており、また、人間の行動は予測することができる」という人間観に立って提唱した方法である。次の6つのステップを通して生徒の問題解決を図る。①分析：生徒や生徒の問題を把握するための情報収集、②総合：情報を整理、体系化して総合的に理解する、③診断：生徒の問題を明らかにして、解決すべき課題を明らかにする、④予審：結論付けた課題が解決したらどうなるのかを予測し、適応の可能性を判断し、将来の見通しを立てる、⑤相談：生徒が問題の解決をするための方法や行動を助言する、

⑥追指導：診断や予審が適切であったのか、問題解決の効果があったのかについて、相談後の生徒の状況を追跡し、必要な指導を行う。この中でも、特に「予審」と「相談」のステップが中心となる。ところで、ウィリアムソン自身はこの手法を指示的方法とは呼んでいない。次の（2）で紹介するロジャーズがウィリアムソンの方法では「診断から助言・指導」を行うことから、自分の方法と区別して指示的方法と呼んだのである。ウィリアムソンは「みなさんはカウンセリングするときに、相手をその社会に適応させようとしてカウンセリングをしてはいけません。社会が間違っているかもしれない。もしかしたらその人が革命家になるというキャリアだってあることを考えてほしい」と学生に語っているように、指示的方法はカウンセラーが一方的に自分の意見を押し付けることを意味していないことに注意してほしい。

2. 非指示的方法

　非指示的方法は、ロジャーズ（Carl Rogers）は、「人間には自己実現化傾向が内在化している」との人間観に立って提唱した方法であり、その姿勢は**カウンセリングマインド**の基本とされる。詳細は第3章「ロジャーズの3原則」を参照されたい。

3. 折衷的方法

　指示的方法と非指示的方法を統合した手法である。代表的なものに、職業カウンセリングを構築した**スーパー**（Donald Super）の循環的カウンセリングがある。スーパーの人間観は、基本的にロジャーズと同様であり、生徒が自己に気づき、自ら問題解決に向けていくことで生徒の発達を支援しようとするものである。この方法は次の6つのステップを通して行われる。①自己概念を表現できるような援助、②クライエントが自己探索を深める援助、③クライエントの自己受容と洞察の援助：感情と自己に対する態度に注目する（非指示的）、④クライエントが現実を吟味することの促進、⑤問題解決に向けての積極的な態度と感情形成の援助、⑥将来起こりうる課題を考えられるようにする。なお、折衷的

80　第4章　教育相談と子どもの発達

なカウンセリングの基礎理論となるものとして、先のロジャーズの理論、無意識や夢の分析に関わる**フロイト**（Sigmund Freud）、**ユング**（Carl Jung）などがある。

　以上、代表的な支援方法を紹介したが、学校現場では（3）の折衷的方法が最もよく使われている。しかし、どの方法を用いるのが最も効果的であるかは、生徒の心理状態、問題の内容、相談の目的、生徒の特性等によって異なるため、ケースによって**臨機応変**に対応していくことが必要である。

第3節　教育相談に必要な知識

　教育相談を実施する上で様々な知識が求められるが、ここでは基礎的な知識として「発達」「学校不適応問題」「発達障がい」について概観する。

1. 子どもの発達と課題

　教育相談で対象となる児童生徒は小学校から高校生までと広い。そのため、児童期から青年期に至る各発達段階で生じうる問題についての知識が必要である。もちろん、子どもの発達には個人差があるが、その発達の道筋や順序には、共通して見られる特徴がある。したがって、教育相談を行う上では、**子どもの発達と課題**について理解しておくことが必要である。

（1）小学校低学年

　幼児期の特徴を残しながらも、大人が「いけない」ということを守ることで、善悪の理解と判断ができるようになる。また、言語能力や認識力が高まり、自然に対する関心も高まる時期である。しかし、現代の問題として、コミュニケーション力や社会性を十分身につけないまま小学校に入学してしまい、周りの児童と人間関係をうまく作れず、集団生活に適応できない、いわゆる「**小1プロブレム**」が顕在化していることが報告されている。そのため、2010年頃より文部科学省は稚園や保育園と小学校の幼小連携を図るプログラムの導入を推進している。

(2) 小学校中・高学年

3、4年生頃以降になると、自身のことをある程度客観視できるようになる。また勉強の面でもたとえば算数では分数や小数といった抽象的な概念を学び、抽象的な概念の理解ができるようになる。しかし、この理解には個人差があるため、ここで躓いてしまう子どもも少なくない。この時期には、身体も大きくなり、自己肯定感が育つ時期でもあるが、周りの者と自分を比較して、必要以上に劣等感を感じやすく、自己肯定感を下げてしまうことがある。この現象を**「9歳（10歳）の壁」**というが、近年では学童保育を小学校4年生までとしている自治体が多く、共働き家庭において、働き方の見直しが必要になる場合に生じる「親の9歳（10歳）の壁」の存在も指摘されている。

また、この頃には集団の規則を理解し、集団活動に加わるようになる。中には、自分たちの集団独自のルールをもつ閉鎖的な仲間集団を形成し、付和雷同的な行動をする場合がある。

(3) 中学生

思春期が始まるこの時期には、自分の中には親や友達とは異なる自分の世界があることに気づき、主観的自己と客観的自己のギャップに悩む。また、第二次性徴を迎えるこの時期には身体的な変化も大きく、それまで親に依存して生活していた子どもが、親からの自立を試み、友達との関係を深めていくようになる（**心理的離乳**）。第二次反抗期とは、まさにこの心理的離乳のために保護、干渉しようとする親に対して自己主張や反抗する時期のことであるが、以前に比べて第二次反抗期を経験する生徒が減少傾向にあることも報告されている（明治安田生命福祉研究所、2016）。また、中学生から高校生にかけた思春期の友人関係は、凝集性が高く親密性も高い傾向があるため、異質なものを排除しようとしたり、誰かをターゲットにして排除するなど仲間同士の絆を維持しようとする力が働く。仲間関係には性差があり、女子の方が男子より閉鎖性が高く、男子では女子より階層性が高い（石田ら、2009）。また閉鎖性の度が過ぎると「いじめ」につながる危険性もある。こうした中では、グループに所属することが

重要になるため、お互いの意見を言い合ってぶつかり合うよりも、表面的な関係の中でお互いに傷つけあわずに非拒絶感の低減を図り、自尊感情を維持しようとする特徴がある。

（4）高校生

　親の保護下から離れ、社会に出て自立するための最終的な移行期である。思春期の混乱から徐々に脱し、「自分は何者であるか」という**アイデンティティ構築**をしていくとともに、大人の世界でどのように生きていくのかという将来に向けた自分の人生について真剣に考える時期である。しかし、わが国では自分の将来について考えることを放棄したり、目の前の快楽だけを求める若者が増えていることが問題視されている。さらに、特定の仲間との濃密な人間関係を結ぶ一方で、それ以外の人や社会、公共の意識や関心が低くなっているとの指摘もある。

2．学校不適応問題

　児童生徒の心理的あるいは発達的問題は、不登校やいじめなど具体的問題として明確になる場合、教員が日常の行動観察や、児童生徒のテストの結果などを通して見つける場合、他の教員や保護者から指摘されたり相談されたりして発覚する場合がある。いずれにしても人権の尊重が重要であり、問題解決が難しくなる前に早期対応することが必要である。ここでは、不登校、虐待、いじめについてみていくこととする。

（1）不登校

　文部科学省では、不登校を「何らかの心理的、情緒的、身体的、あるいは社会的要因・背景により、児童生徒が登校しないあるいはしたくともできない状況にあるため年間30日以上欠席した者のうち、病気や経済的な理由にある者をのぞいたもの」と定義し、調査している。その結果によれば、2020年の小・中学校における不登校児童生徒数は196,127人（前年度181,272人）であり8年

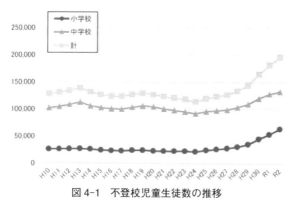

図4-1 不登校児童生徒数の推移
出典：文部科学省「令和2年度児童生徒の問題行動・不登校等生徒指導上の諸課題に関する調査結果の概要」

連続で増加しており、加えて新型コロナウィルスの感染回避によるものも20,905人あった。この不登校増加の背景には、平成29年に施行された**教育機会確保法**（「義務教育の段階における普通教育に相当する教育の機会の確保等に関する法律」）があるといわれている。この法律は、学校復帰を大前提としていた従来の不登校対策を転換し、不登校の児童生徒が通いやすい民間のフリースクールや適応指導教室といった学校以外の教育機会を確保する施策を国と自治体の責務とし、必要な財政支援に努めるよう求めるものである。また、小学校から中学校にかけて、不登校になる子どもが急激に多くなることも大きな特徴である。

　不登校には、どのような問題があるのだろうか。まずは学業が遅れてしまうことがあげられるが、学校に行くことで、学業だけでなく所属する社会集団に参加して、自己表現や他者理解といった対人関係力を養う機会を失うことも大きな問題点だ。また、同調査によれば、不登校の原因は「先生」「身体の不調」「生活リズムの乱れ」「友人関係」など多岐にわたり、特定の原因によるものでない。しかし、休みたいと思ってから実際に休み始めるまでの期間では約5割の者が1ヵ月～半年あると答えており、児童生徒の変化にいち早く気づき、早期介入することが重要となるだろう。加えて、「どのようなことがあれば休まなかったのか」の問いに対して「特になし」と答えた割合が約6割を占めていたことから、相談窓口の周知やアウトリーチ型の支援も不登校を未然に防ぐために重要であると考えられる。

　不登校児童生徒への支援の目的は、児童生徒が将来的に精神的、経済的に、

そして社会的に自立できるようにすることである。東京都が行った調査（2016）では、再び登校できるようになった児童・生徒の割合は、3割前後にとどまっている。しかし、指導の結果登校できるようになった働きかけとして、「登校を促すため、電話をかけたり迎えに行くなどした」、「スクールカウンセラー、相談員等が専門的に相談にあたった」、「保護者に協力を求めて、家族関係や家庭生活の改善を図った」がそれぞれ3～5割を占めているなど、本人への多角的で粘り強い働きかけが最も効果をあげている。また同時に、本人の希望を尊重して、彼らの才能や能力が伸ばせるように、適応指導教室、ICTを活用した学習支援、フリースクールなどといった関係機関を活用した教育機会の確保を支援することも重要である。一方、不登校の背景には、虐待や保護者自身が子育てに自信を失っているなど家庭の状況が関係していることもあるため、家庭と学校、関係機関との**連携**を図り、児童生徒本人だけでなく**家庭への支援**も重要である。

　すべてのケースに当てはまるわけではないが、不登校の経過には変化が伴う。①初期Ⅰ：朝起きると頭痛や腹痛などの身体的不調、無気力を示すが、午後になると元気を取り戻すため、学校に行けたり行けなかったりする。早期対応が可能な時期。②初期Ⅱ（混乱期）：登校刺激をすると家庭内暴力や自傷行為など不安定になる。この時期には家での安定を目的とし、状況に応じた専門機関との連携が重要である。③中期Ⅰ：昼夜逆転し、無気力状態になり、不登校になるまでの心理的負担から回復する時期。教師は児童生徒との信頼関係を構築するために、登校刺激をしない範囲で教師がかかわれそうか吟味する。④中期Ⅱ（回復期）：「退屈だ」といった言葉が出るようになり、自発的な行動が増える。保護者や本人と話し合い、学校や他の施設に行けるかどうかを話し合う。必要であれば本人の相談を行う。⑤後期：学校や適応指導教室に通い始める。この時本人が通いやすい環境調整、登校後のフォローアップを行い、学年をまたぐ場合には引き継ぎをしっかり行うことが重要である。こうしたことを知ったうえで、児童生徒の状況を把握、予測して支援することは適切な対応につながるだろう。

(2) 虐待

児童虐待は①**身体的虐待**（殴る、蹴るなど）、②**性的虐待**（子どもへの性的行為など）、③**ネグレクト**（育児放棄）、④**心理的虐待**（言葉による脅し、無視など）の４つに分類される。平成 11 年に「児童虐待防止法」が施行されて以降、児童相談所の相談件数がグラフのように上昇の一途をたどっている。また、令和 2 年に施行された親権者等による体罰禁止によって、虐待防止への法的取り組みが進んでいる。近年の傾向としては心理的虐待の割合が最も多く約半数を占め、次いで身体的虐待の割合が多いことがあげられる（厚生労働省、2021）。虐待は、外傷や成長不良といった身体的影響、安心した生活ができない環境下での知的発達への影響、不十分な愛着形成による対人関係や低い自己肯定感などの心理的影響と、その影響は深刻である。

学校・教職員の責務として、虐待の早期発見に努め、虐待が疑われる場合には市町村や児童相談所への通告や警察署へ通報を行う。深刻な事態を未然に防ぐため、通告、通報がもし誤っていても罪には問われないこと、通告したことや連携内容は保護者であっても漏らしてならないことが定められている。虐待の早期発見には情報収集のためのアンケートを実施したり、子どもからも訴えや学外からの情報提供も重要であるため、日常的に多方面にアンテナを張っておくことが必要である。

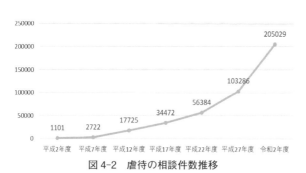

図 4-2　虐待の相談件数推移

出典：厚生労働省「令和 3 年度全国児童福祉主管課長・児童相談所長会議資料」を著者が簡略化

(3) いじめ

小・中・高等学校および特別支援学校におけるいじめの件数は、517,163 件と前年度と比べて 95,333 件（15.6%）減少している。認知件数は、全校種で減

少しているが、いじめの認知件数が減少している中で、「パソコンや携帯電話等で、ひぼう・中傷や嫌なことをされる」の件数は、全体で18,870件であり、増加傾向にあることが特徴となっている（文部科学省、2020）。

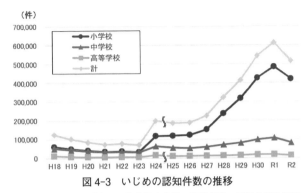

図4-3　いじめの認知件数の推移

出典：文部科学省「令和2年度児童生徒の問題行動・不登校等生徒指導上の諸課題に関する調査結果の概要」

減少の要因としては、令和2年度の新型コロナウイルス感染症拡大の影響によって、学校生活が大きく制限され、児童生徒が集まって活動する機会が大きく減ったことや、これまで以上に児童生徒に目を配り指導・支援したこと等によって、いじめの認知件数が減少したと考えられている。しかし、これは特殊な状況下での変化であり、文部科学省は発見できていないいじめが存在する可能性を指摘し、引き続きいじめの早期発見、積極的な認知、早期対応に取り組んでいくことが重要であるとしている。

いじめの発見のきっかけは、小・中・高等学校ではアンケート調査などの学校の取り組みによるものが多く、いじめの半数以上は学校の教職員が発見している（東京都教育庁指導部、2020）。このように日頃の学校の取り組みや教職員の観察力が早期発見には重要だが、児童生徒のSOSの出し方に関する教育も大切であろう。

(4) 学校不適応問題の要因

ここでは、学校不適応問題として代表的な「不登校」「虐待」「いじめ」について述べてきた。これら児童生徒の問題行動の要因として、ここでは以下の2点を挙げる。

① 基本的信頼の欠如

　発達心理学者の**エリクソン**（Erik Erikson）は生涯を8段階（晩年には9段階としている）に分け、それぞれのライフステージの発達課題を示した。その第一段階の課題に「**基本的信頼**」がある。生後間もない赤ちゃんは、「泣く」ことでしかコミュニケーションが取れない。たとえばおむつが濡れて気持ちの悪い時に泣くと、すぐにお母さんが来て新しいおむつに取り換えてくれるなど適切な応答をしてくれる大人を赤ちゃんは信頼し（基本的信頼の獲得）、6ヵ月頃になるとそれは絆（**愛着**）となって「私は愛されている」と感じることができるようになる。エリクソンは乳児期の「基本的信頼」の獲得は、生涯を通して発達していくための根幹であると強調している。飢えや寒さから守ってもらえず、虐待や放任されたまま育つと、他者を信頼することができず、防衛的になり、心を閉ざし、さらには心身の発達にも影響を及ぼす可能性がある。「一生懸命かかわろうとしても、なかなか指導が届かない」「被害者意識が強い」といった児童生徒の中には、基本的信頼感を獲得できていない場合が少なくない。こうした場合には、粘り強く働きかけ、「信頼関係」を築いていくことが大切である。

② こころのエネルギーの不足

　学校での**安心安全な生活**、自分の気持ちを理解してもらえる、自分の存在を認めてもらえるといった体験がこころのエネルギー源である。こころのエネルギーが不足すると、様々な問題行動を起こす。わざと気を引くような迷惑行為をする背景には「私にもっと注意を向けてほしい」「もっと私にかまってほしい」などの心理が働く一方で、自信が持てず不安感などでいっぱいの児童生徒には「もっと頑張れ」といった励ましは逆効果となる。なぜなら、児童生徒はすでに不安感と戦っていて、「頑張る」ための余力が残っていないからだ。こうした場合には、教員は児童生徒の気持ちが前向きになれるような言葉がけ（長所をほめるなど）や態度を通して、心のエネルギーを満たしていくことが効果的である。

88　第4章　教育相談と子どもの発達

3. 発達障がい

　発達障がいとは、発達障害者支援法において「自閉症、アスペルガー症候群その他の広汎性発達障害、学習障害、注意欠陥多動性障害その他これに類する脳機能の障害であってその症状が通常低年齢において発現するものとして政令で定めるもの」と定義されている。発達障がいが疑われる児童生徒数は 6.5％とも言われ（文部科学省、2012）、通級に通う児童生徒の数も増加の一途をたどっている。しかし、発達障がいには数々の誤解がある。厚生労働省によると、「自閉スペクトラム症、学習障害、注意欠陥多動性障害だけが発達障がいだ」など診断名による誤解、「発達障がいは能力が欠如しているから、ずっと発達しない」など障害の予後に関する誤解、「自主性を尊重することが重要だから、大人があれこれ手を出すのはよくない」など支援方法に関する誤解、「キーキー声を出す子どもやパニックは迷惑だから、外出させないほうが良い」「発達障がいの子どもがパニックを起こしたら、大勢で協力して止めに行くのが良い」といった街で見られる行動への誤解などがある。しかし、発達障がいは学校不適応の要因の1つと考えられており、教育相談をするうえで、発達障がいの理解は重要である。ここでは、自閉スペクトラム症、学習障がい、注意欠陥多動性障害について、その特徴を概観する。

(1) 自閉スペクトラム症（Autism Spectrum Disorder：ASD）

　以前は、自閉症の特性をもつ障害は、典型的な自閉症に加え、「アスペルガー症候群」「特定不能の広汎性発達障害」と分けられていたが、これらの障害には対人関係の難しさやこだわりの強さなど、共通した特性が認められるため、2013年のアメリカ精神医学会（APA）の診断基準 DSM-5 の発表以降これらをまとめて、「自閉スペクトラム症（自閉症スペクトラム障害）」と表記するようになった。

　特徴として①対人意識、他者との共感が少ない、②言葉の遅れ、オウム返し、あるいは独特な言葉（字義通り性）があり、ごっこ遊びが苦手、③物事の変化が苦手で、同一性保持欲求が強いことによる常同行動（手をひらひらさせるなど、

同じ行動を繰り返す）があげられ、適切な対人行動や社会的行動が難しく、パニック行動を起こすこともある。

(2) 学習障害（Learning Disabilities：LD）

　学習障害（限局性学習症）には、教育的な立場での LD と医学的な立場での LD の 2 つの考え方がある。さらに近年では健常児とは異なった学習アプローチをとるという点から、Learning Differences（学び方の違い）と呼ぶ人もいる。教育の立場では、全般的な知的発達に遅れはないものの聞いたり話したり、推論したりする力など学習面での広い能力の障がいを指す。読字障害、書字障害、算数障害の 3 つのタイプがある。

(3) 注意欠如・多動症 / 注意欠如・多動性障害（ADHD：Attention-Deficit/ Hyperactivity Disorder）

　ADHD とは不注意（集中力がない、など）と多動性・衝動性（落ち着きがない、など）の 2 つの特性をもち、7 歳までに明らかになる。ADHD の症状は短期間で消失しないため、学業や友人関係の構築に問題が生じることがある。

　以上、発達障がいの代表的なものの症状を概観してきたが、これらは親の育て方によるものではなく、生まれつきの**脳の機能障害**が原因と考えられている。いずれも男子の方が女子より数倍多い。診断は CT や心理検査などを使い、医師以外は行うことができない。原因不明のため、療育、環境調整、スーシャルスキルトレーニングや認知行動療法を用いて行動変容を促すといった心理的な対応が中心となる。特に近年では**ベック**（Aaron Beck）などから発展したうつ病などの治療に用いられている**認知行動療法**（Cognitive behavioral therapy：CBT）が、極めて重要になっている。また、興奮や緊張、不眠の緩和目的で薬物療法が用いられることもある。

【引用・参考文献一覧】

・文部科学省「中学校学習指導要領（特別活動）」第4章第1節、2010
・文部科学省「生徒指導提要」第5章、2010、p.112
・明治安田生命福祉研究所「親子の関係についての意識と実態」2016
・石田靖彦・小島文「中学生における仲間集団の特徴と仲間集団との関わりとの関連〜仲間集団の形成・所属動機という観点から〜」愛知教育大学研究報告　教育科学編、2009
・文部科学省「令和2年度　児童生徒の問題行動・不登校等生徒指導上の諸課題に関する調査結果の概要」2020
・東京都教育委員会「不登校・中途退学対策検討委員会 報告書」2016
・厚生労働省「令和3年度全国児童福祉主管課長・児童相談所長会議資料」2021
・東京都教育庁指導部「「令和2年度児童生徒の問題行動・不登校等生徒指導上の諸課題に関する調査」（概要版）について」2021
・文部科学省「通常の学級に在籍する発達障害の可能性のある特別な教育的支援を必要とする児童生徒に関する調査」2012
・厚生労働省「政策レポート　発達障がいの理解のために」(www.mhlw.go.jp/seisaku)（2021.11.29 閲覧）

Chapter 5

教育制度と社会福祉法制論
——法と人権の尊重のために

第1節 「法」と「規範」

　近代国家の中で生活している私たちは、日々、制度によって保障されたさまざまな利益を得ている。生まれたことを登録する手続き、家族の仕組み、教育、経済社会の在り方、労働者の権利、そして社会福祉に至るまで、私たちは制度とそれを支える諸法規の網の目の中にいる。とりわけ、保育者や教育者などのように、特定の制度・ルールのもとで職業に従事する人々にとって、その制度を支えている法的情報を知ることは、職務上の義務でもある。

　本章では、憲法の下に存在する日本の法制度の基本体系と、それと密接につながり、私たちの生活を支えている「人権」について解説する。そして、そうした法制度と人権に、教育者や保育者が実際にどうかかわることになるのか、教育・社会福祉制度の面から概説する。

　まず、憲法を基本とする具体的な制度に言及する前に、近代法の世界に関す

るイメージをとらえておくことが重要である。古来、政治的共同体のあるところには何らかの法的ルールが存在し、その考察も行われてきた。古くは古代ギリシアにさかのぼり、たとえば、**プラトン**（Plato）は『法律』（前350頃）において、法規を特定の社会における知的共通意見として理解し、市民がそれに服することを正義とした。また、プラトンの弟子**アリストテレス**（Aristotle）は『ニコマコス倫理学』（前300までに編纂）において、正義には法規に明確に定められているかによらず、社会の中で発生する何らかの不均衡を、あるべき均衡の状態に戻す作用も含まれるとする。

　こうした古来より存在する法観念と、近代国家における法観念とを比べるうえでは、社会に存在する、「法的な命令」と「法的な命令ではない他の命令」とを区別することが重要である。

　法的な命令ではない命令とは、道徳や宗教、慣習に基づく命令である。これらは漠然と、「従うべき命令」と理解されているかもしれない。たとえば道徳の命令には、「友達に嘘をつかない」などの個人的な行動規範だけでなく、同時に社会道徳化した命令もある（性道徳など）。宗教の命令は、信者がその命令に従うことを強く求められる。慣習（町内のごみ出しルール、校則や社則など）も、そのコミュニティに属する限り従うことが求められる。しかしこれらは法命令と異なり、違反してもただちに国家から制裁を受けることはない。

　ところが、道徳と法の命令はときに混同される。「法は道徳の最小限である」とは、19世紀ドイツの公法学者ゲオルク・イェリネック（Georg Jellinek）の言であるが、実際に最低限度の道徳は、法規の内容になっていることが多いからである。たとえば「嘘」に関し、遅刻の言い訳としても絶対に嘘をつかないという個人の行動規範にとどまるものと、詐欺のように深刻な個人的かつ社会的な被害をもたらすものとでは、その性質が異なる。社会生活を維持する上で、最低限取り締まるべき有害な嘘は、したがって法規で規制されることとなる。

　一般に近代法は、他者・社会の法益を害するような嘘を詐欺罪などとして禁じても、私的生活の中で私的利益の範囲で嘘をつくかどうかは、個人の自由に委ねている。近代国家における法規の性質を理解するためには、道徳の命令と

第1節 「法」と「規範」　93

は、自らが自らに課す規範であって、国家の強制力を伴いかつ社会のメンバー全員が従うべき法の命令とは異なるものとして、いったん両者を区別して理解することから始めなければならない。

　近代法の理念が確立する前は、道徳（とくに社会道徳）と法の無自覚な混同はいたるところに見られた。たとえば性道徳に関していえば、西洋においてはキリスト教の信仰とも相まって社会道徳化していたため、不倫は姦通罪、同性愛も「ソドミー（聖書に登場するソドムとゴモラの伝説に由来する）」の罪などとして刑法で罰せられていた。道徳や宗教の信念は本来、個人の私的自由の問題としてとらえるべきであって、ただちに法規で取り締まるべきではないという考えは、西欧社会でもとりわけ 19 世紀以降に徐々に芽生え始め、法学領域では**法実証主義**という立場を確立していった。

　これに関し、哲学領域での道徳と法の峻別という点では、その先駆けとなった哲学者の 1 人として**カント**（Immanuel Kant）を挙げることができる。彼は『人倫の形而上学』（1797）において、道徳の命令を自由な意志をもつ個人が自らに課す命令とし、そうした命令に自律的に従うことを、人々の内面における自由とした。そして、そのような人間を人格の保持者として尊いとする「人格の尊厳」という考えは、今日の「**人間の尊厳**」原理の重要な礎となっている。一方でカントは、法的な命令とは、自由な個人が共同で生活するために、人々の外的な行為の自由を制約するルールであると考えた。これは、個人の道徳の世界と共同体の法の世界とを区別しようとした試みの 1 つである。カントの思想は19 世以降に発達した近代法学にも影響を与えたが、その後ようやく 1960 年代以降になって、道徳の法命令化は、結果として個人の自由を侵害するという理解が一般化し、上述のような性道徳の刑罰化は西欧社会でも避けられるようになった（法実証主義の普及）。

第 **2** 節　日本の法体系

現代の日本も、こうした近代法の理念を受け継いでおり、法の世界と道徳の

世界は区別されている。このような前提のもと、私たちが知る法命令の多くは、一般に「**法律**」の命令として知られている。デジタル庁が提供している「e-Gov 法令検索」上には、現在、1900 を超える「**法律**」が登録されている。一般的に「法」というと、この法律がイメージされることが多いが、法的ルール（法規）は、いわゆる法律だけにはとどまらない。また、とくに重要な点として、「法律」の中には、最も重要な法規である「**憲法**」は含まれない。同じ法規でありながら、なぜ含まれないのか。この節では、日本の国内の法体系を説明し、さまざまな法規の分類を行う。

1. 憲　法

まず、憲法 98 条 1 項は、「この憲法は、国の最高法規であって、その条規に反する法律、命令、詔勅及び国務に関するその他の行為の全部又は一部は、その効力を有しない」と定めている。すなわち憲法は、この国に存在する全法規の頂点に位置する**最高法規**である。憲法が法律の区分に含まれないのは、このためである。

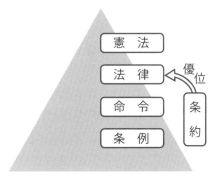

図5-1　法規の上下関係

つまり、憲法の内容に違反する法律等の法規は、「その効力を有しない」といえるためには、憲法と法律は同等のルールであってはならないのである。まずは、**憲法は法律ではない**という基礎が踏まえられなければならない。そしてこの憲法のもと、国内の諸法規は階層構造を形成している。これを図式化すれば、図 5-1 のようになる。

2. 法　律

法律は、憲法の下位にあるルールである。とくに、**国家の立法機関が定めるルール**のことをいい、日本では国会が所定の手続きに従って定めるルールのみ

を法律という（憲法41条）。この所定の手続きとは、衆議院で出席議員の過半数の同意を得て、参議院でもまた出席議員の過半数の同意を得れば、法律として成立するという流れが一般的である（憲法56条と59条。なお数は少ないが、参議院の先議から始まることもある）。この手続き過程をみても、憲法と法律が同列のルールであってはならないということが説明できる。すなわち、憲法はその改正手続きが、法律よりも厳重に定められている（憲法96条）。まず、国会の両議院における総議員の3分の2以上による議決があって国会は憲法改正の発議を成立させることができ、さらにそれを受け、国民投票が行われる。そして、国民投票で過半数の同意があれば初めて憲法は改正できるのであり、上に述べた法律の制定・改正手続きとの違いは明らかである。より簡単に成立する法律と、改正の困難な憲法は、やはり効力の点で、同一視することはできないのである。

3. 命　令

　法律の下位には、「**命令**」というルールの区分がある。これは主に、**国家の行政機関が定めるルール**で、たとえば、内閣の定める政令が挙げられる（憲法73条6号）。命令の役割は、非常に抽象的・一般的な文章で書いてある法律の条文の意味を定め、法律によって委ねられている具体的な細目を明らかにし、法律を施行することである。命令は法律の規定を超えては定められないため、法律の下位におかれている。

4. 条　例

　「**条例**」は、県や市町村などの**地方公共団体**によって、その管轄地域内の行政を処理するために、地方議会において制定される（憲法94条）。この条例は、「法令（法律と命令の総称）」に違反しない限りにおいて定めることができる（地方自治法14条1項）。したがって条例は、国内の法体系の最下位に位置するといえる。

5. 条 約

国外に目を移すと、国家間で交わされた法的合意として「**国際法**」があり、中でも重要なのが「**条約**」である。条約の締結権は内閣が有し、原則として事前に国会の承認を得なければならない（憲法73条3号）。それでは、この条約は、国内法体系の効力の優先順位として、どこに設定されるのか。憲法98条2項は、「日本国が締結した条約及び確立された国際法規は、これを誠実に遵守することを必要とする」と定めており、その性質は明確ではない。しかし、内閣による行政は、当然に憲法の支配を受けるので、憲法に背くような条約を結ぶことは許されない。また、こうした理由以外にも、条約の締結手続きは憲法の改正と比べて、簡潔な手続きで決するため、その厳格性の違いから、憲法は条約に優位するとも説明できる（一方、条約が法律に優位する理由としては、憲法98条2項に定める条約の誠実遵守義務などが根拠に挙げられる）。

また、憲法98条2項には、「確立された国際法規」という表現もある。これは、国際法のうち、とくに「慣習国際法（国際慣習法とも）」をいう。慣習国際法とは、国際法秩序の基本に関わる、すべての国際国家間で承認され法的な確信をもって実行されているルールのことで、たとえば「主権国家は自衛権を保有する」などの原則が挙げられ、国連文書（国連憲章など）によって成文化されたものもある。こうした慣習国際法は、国際法学者の中では憲法より優位して妥当するという解釈が一般的であるが、その内容に従って国内で政策を実行するためには、国内法規の根拠も必要である。また、憲法学においても、慣習国際法が同時に条約として成文化されている場合、そうした条約に関しては憲法より優位するという、有力な解釈学説がある。

第 **3** 節　**憲法と立憲主義**

1. 近代憲法とは何か

国内の法体系については前述したが、なぜ憲法が国内の最高法規とされているのか。そして、そもそも近代国家において憲法とは何か。その手がかりは、

憲法の歴史、とりわけ欧米で発展した**近代憲法**の歴史に求められる。

憲法は、英語では constitutional law という。constitution とは、「体制」や「構造」を意味する語である。すなわち、憲法とは最も単純な意味においては、国家の体制・構造について記した法規をいう。しかし、たとえば、国内の最高権力者は身分制度をもとにその位にある王であって、その王がすべての統治権限を掌握しており、国民には何らの権利もない、という規定を設ける憲法があったとする。確かに国内の体制について規定してはいるが、それは近代国家が掲げるべき憲法といえるのか。現在では、近代国家の在り様を規定する憲法、すなわち近代憲法は、ある特定の内容についての定めを必ず持つことが、憲法としての条件であると考えられている。

近代憲法の条件について述べた重要な歴史的文書の1つに、**フランス人権宣言** 16 条における「権利の保障が確保されず、権力の分立が定められていない社会は、憲法をもたない」との文章がある。これは、憲法を自称する法規は、その内容として国民の権利保障と権力の分立を国家体制として規定していなければならないとの宣言である。つまり憲法とは、**権力分立によって国家の権力を抑制し、それにより国民の人権を保障**するための法規でなければならないと要求しているのである。こうした内容を持つ憲法を国内の最高法規とし、その諸規定による拘束のもとで政府は統治するべきという考え方を、**立憲主義**という。そして、この思想のもとで制定された憲法典を、とくに「近代憲法」または「**立憲的意味の憲法**」という。日本国憲法は、この憲法の類型に該当し、そうであるからこそ、最高法規としてみなすのにふさわしいルールなのである。

2. 立憲主義と法の支配

こうした立憲主義の思想は、欧米の伝統的思想や法文化に存在してきた「**法の支配（rule of law）**」という考え方に源流がある。法の支配とは、既存の国家権力を超えて抽象的に存在する正義の規範＝「法」こそが、人々が従うべきルールであり、国家権力もその「法」のもと、統治を行わなければならないという考えを指す。ここで示している「法」とは、何か具体的な「法律」を意味す

るのではない（法律によって人々の行動を統制すべきという考え方は、「法治主義」＝法律による統治〈rule by laws〉といい、支配者の「徳」をもって人々を統治すべきという「徳治主義」の反対概念である）。この「法」とは、さまざまな社会規範や良き伝統習俗、自然法則や抽象的な正義観念など、人々に行動の基準を示す多様なルールの集合体として歴史的にイメージされてきたものである（キリスト教の文脈では、「神の摂理」と同視されることもある）。こうした考え方は、既存の王・政府が人民に対し誤った統治を行っている場合、体制の変革を人々に促すモチベーションとして、実際に機能してきた。事実、イギリスの名誉革命（1688 年～）、アメリカの独立戦争（1776 年～）、そしてフランス革命（1789 年～）の背景には、人々がこの法の支配の思想を行動原理として蜂起したことが、一因として挙げられる。

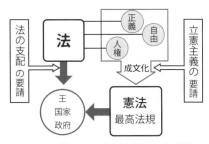

図 5-2　法の支配と立憲主義の関係図

　立憲主義の思想は、この法の支配を、憲法という制定法を通じて実現したものである（図 5-2 を参照）。人々が共有できる「法」の内容を確定し、それが人民自身の手による協約であるがゆえに、憲法は最高法規として国家権力を統制する権威を有する。こうした理論的背景のもとに存在するのが、現在の日本国憲法なのである）。

3. 人権思想と近代国家

　近代憲法の使命は、述べてきたように、人々の人権を保障することである。人権とは、国家が後天的に与えるものではなく、人間が生まれながらに人間であることを理由に（あるいは「**人間の尊厳**」に基づいて）保有する権利のことをいう。「生まれながらに」という点を強調して人権を表現する場合には、**自然権**と呼ばれることもある。では、なぜ国家は人権を保障しなければならないのか。
　ホッブズ（Thomas Hobbes）は、主著『リヴァイアサン』（1651）において 17 世

紀イギリス市民革命の動乱期にあって、国家に対し国民を保護する義務を与えようと模索した。そうして考え出したのが、次の仮説である。ホッブズによれば、人間は生まれながらに自由かつ生存する権利（自然権）を持つものの、統制的な国家の無い状態（**自然状態**）では人間は互いに争い合うという（「万人の万人に対する闘争」）。そのため、人間は自らの自由を国家に差し出し行動制御を受け入れる代わりに、自分たちの生存保障を国家に託す「信約」を結ぶことになる。これが、国家成立のフィクションであり、こうした信約に基づく国家設立の契約は、政治学の用語で「**社会契約**」と呼ばれる。一定の目的（国民の権利保障）のために、人民の合意によって国家が成立し、同時にそれを根拠として国家は統治権を有する、という理論枠組みをもって、ホッブズは近代国家観の先駆者とも評価されている。

続く**ロック**（John Locke）もホッブズと同様の論理で、国民の人権保障と国家の関係を説明した。しかしロックは『市民政府論』（1690）において、ホッブズと異なり、生まれながらの自由は誰にも譲渡できず、自然状態（ロックにおいては平和な状態）から国家を成立させる理由は、より公平な裁定者を得るため（裁判など）、また国民 1 人の力では成し得ないことを達成するため（治安維持・国防など）、という理解からであり、人民は私的制裁権など必要な権利だけを国家に「信託」するという。そのため国家成立後も国民は自由を保有し、もし国家が国民の自由を侵すなら、そのような国家は信託契約の違反として変更できる（**抵抗権**）。こうしたロックの思想は、名誉革命の理想を説明する思想であり、次のルソーと並び、アメリカ独立戦争やフランス革命の思想的契機となった（すなわち、これが前述の「法」の中身である）。

ルソー（Jean Rousseau）は、フランス革命の動機をさらに強化した思想家である。彼は、生まれながらの自由は、社会契約により国家が設立した後でもなお、平等に保障されなければならないという平等の理念を強調し、『社会契約論』（1762）において、その平等を実現するためには、統治に人民自身が加わること（**人民主権**）が望ましいと考え、その最善策として**直接民主制**を主張した。

4. 自由権と社会権

人権の内容は、思想史上、生まれながらの平等な自由と想定されてきた。これを受け、とくに19世紀初期までの近代国家が守るべき人権とは、ホッブズらによる自然権の内容がそうであったように、国民の自由を身分などによって制限せず、平等に保有させること、つまり**自由権**の保障であった（実際には性別や人種の違いにより、自由や平等には制約があり、この時代での自由と平等の主体は成人白人男性をメインとするものだった。コラム「フェミニズムとジェンダー」参照）。そしてその保障とは、国家が国民の私的自由に（治安維持に触れない限りは）干渉しないこと＝放置、を意味していた。19世紀のドイツの社会主義思想家ラッサール（Ferdinand Lassalle）は、こうした自由放任主義的国家観をブルジョワ（有産市民階級）の財産を守る**夜警国家**（Nachtwächterstaat）という語を用いて批判している。

もともと、自由主義国家の成立以前、国家権力はさまざまな法令を通じて、人々の私生活の細部から内心に至るまでを統制してきた（家族内部の関係、道徳判断、信教、政治思想など）。そこで、初期の近代憲法で求められていた人権保障もまた、国家を主な人権の侵害者として想定するものだった。こうした自由観のもと、国民の自由な経済活動もまた推進され、産業資本主義社会が発展した。18世紀後半から19世紀前半にかけての西洋史である。

ところが、産業構造が急激に変化するにつれ、新たな社会問題が発生した。生まれながらの身分とは異なる、**資本家**と**労働者**という新しい社会階級の発生である。ここでいう資本家とは、富を生み出すための生産手段（土地や機械や工場）を自己のものとして所有している人々を指し、労働者とは、そうした生産手段を所有せず、資本家の生産手段に依存しなければ、富を生み出せない人々を意味する。労働者は資本家のもとで労働力を提供しなければ、富＝貨幣価値を生み出せない以上、両者の社会的な権力格差は明らかである。ところが、この時代における自由権の保障は、両者を国家の前に平等な私人とみなし、共に自由な意思で契約関係にあるのであって、その自由な行動に国家が干渉してはならないと考えられていた。つまり、資本家は、労働者保護という制約もなく、

自身の好きな条件で労働者を雇い、労働者はまた自由な意思でその契約を締結しているため、問題はないものとして扱われたのである。これにより、労働者は劣悪な労働環境におかれ、児童も含め国民の大部分を占める人口が疲弊する結果へと至った。そのため 19 世紀後半以降、国家の手を借り、特定の市民の人権（自由権）を制限しつつ、また社会保障などの公的システムを作ることによって、多くの社会的弱者を救済するべきであるという考え方が主張されるようになる。これが**社会権**の主張である。たとえば、累進課税などを通じて富を再分配する社会保障制度を形成すること、また、労働契約のフォーマットを国家が制定することで、最低労働条件などの基準を設けることなどがその例として挙げられる。累進課税は一定の所得層にとって財産権の制限、また、労働条件の法定化は契約自由の制限になるが、その代わり、社会の多くを構成する市民の実質的自由を保障する。こうした社会権を、一般条項として憲法で初めて規定したのが、ドイツの**ワイマール（ヴァイマル）憲法**（1919 年）である。

　つまり社会権とは、国家に対し積極的に国民の私的自由に干渉させることで、国民の実質的な自由を保障させる権利をいい、日本国憲法ではこれに連なる人権として、**生存権**（憲法 25 条）、**教育を受ける権利**（憲法 26 条 1 項）、**労働基本権**（憲法 28 条）が定められている。とくに、教育を受ける権利を社会権的に説明すれば、義務教育制度とは、子どもの無教育という負の連鎖を国家の援助により断ち切るため、親権者の子に対する教育の自由を制限し、子女に初等教育を強制するという、社会権思想を基に発展した制度である（ただし当初は後述のように、「国民国家」による「国民教育」という意義の強いものであった）。

　以上から、近代憲法が保障するべき人権とは、自由権（「国家からの自由」）だけでなく、社会権（「国家による自由」）も加えた権利を意味する。またこれらに、**民主主義**における政治参加を通じた「国家への自由」として、人民主権原理を加える場合もある。そして国際社会では、1948 年に採択された**世界人権宣言**、さらにこの宣言を基に条約として起草され、1966 年に採択された**国際人権規約**もまた、締約国が保障すべき人権を、自由権だけでなく、社会権も含めて規定するに至っている。すなわち、**福祉国家**の成立である。

第4節　教育と社会福祉の制度

1．教育にかかわる制度の歴史

　近代国家は、同時に「国民国家」として成立した。政治共同体が人民に人権とその生存を保障するためには、強力な中央集権権力によって国内が画一的に統治できることが前提となる（ホッブズの理想もこうした国家だった）。そして、保障を受ける人民は、同時にその保障＝管理を受けるため、国籍を通じ国家によって管理される「国民」となる（コラム③「権利主体」参照）。近代国家の成立期において求められた公教育の内容は、この国民を養成することが重視された。すなわち、国家への帰属意識（君主が存在する場合は君主への忠誠心も含む）の育成と国民アイデンティティの形成である。日本の場合、明治期に目指された近代化は、とくにこの意味での近代化であり、それは天皇を中心とした中央集権国家体制の確立であった。

　1872年に頒布された**学制**は、国民形成の礎となる近代的な小学校の設立に重点をおき、その序文において「邑ニ不学ノ戸ナク、家ニ不学ノ人ナカラシメンコトヲ期ス」と述べ、いわゆる国民皆学の理念を明らかにした。しかし、当時は農家などにおいて子どもも主要な働き手であったこと、また、学制下においては経費の住民負担が求められたため、住民からの学制への反発は強く、多くの子どもは就学しないままであった。

　学制は1879年に廃止され、代わって同年に**教育令**が発布された。この教育令は、中央集権的な学制と異なり、教育の権限を国家から地方へ大幅に分権化し、地方の実情に合わせ、小学校の設置義務と就学義務を緩和させた。しかしその結果、学校の廃止や就学率の激減といった状況を生むこととなる。そのため、地方に対する自由主義的な教育令はわずか1年で改正され、1880年に**改正教育令**が定められた。その改正に際しては、就学義務が強化され、学校の設置・廃止に関しても、地方官庁の許可を要することとした。また、小学校の教則についても、公立・私立を問わず、文部卿の頒布する綱領に基づくことを定め、これを受け1881年には小学校教則綱領が制定された。

改正教育令以降の教育基本方針に影響を与えたのが、1879 年に起草された**教学聖旨**である。明治天皇から、当時内務卿であった**伊藤博文**らに示されたがゆえ、教学に関する聖旨と名付けられたこの指針は、西洋流の教育に偏るのではなく、仁義忠孝、君臣父子という儒教的な価値観を、道徳教育を通じて小学校から徹底させることを求めた。これを受け改正教育令においてはまた、小学校の科目として「修身」を最上位の科目として置くこととなった（教育令下では末尾に据えられていた）。

　明治憲法こと大日本帝国憲法は、1889 年に公布され、日本で初めての近代憲法といわれている。その制定会議の記録として、1888 年 6 月 22 日枢密院会議録には、初代内閣総理大臣となった伊藤（1885 年就任）と、初代文部大臣**森有礼**との間で、このようなやり取りが残っている。森は新憲法について、臣民(しんみん)の天皇に対する「分際」と「責任」のみを記載すれば十分であり、権利など規定する必要はないと主張した。その一方、伊藤は憲法を創設する精神とは、「君権(くんけん)ヲ制限シ」、「臣民ノ権利ヲ保護スルニアリ」と述べ、憲法が権利なき責任のリストに過ぎないならば、そのような「憲法ヲ設クルノ必要ナシ」と反論している（なお伊藤は、教学聖旨への返答である「教育議」においても、西洋の新知識を教育することの方が急務という考えを示していた）。実際に制定された明治憲法は、森の中央集権的な統制規範としての憲法観と、伊藤の立憲的な意味での憲法観を折衷するようなものとなり、国民の権利は、生まれながらの人権ではなく、法律の範囲内で臣民の権利としてのみ認められることとなった（このため明治憲法は「表見的近代憲法」と評価されることがある）。

　中央集権化を強固に進めるという森の方針は、その教育思想にも現れている。森は儒教的な徳育ではなく、近代国家を担う国民形成を意図した国家主導による教育を、教学の基本にしようとした。1886 年に公布された**学校令**は、帝国大学令、師範学校令、小学校令、中学校令からなる勅令の総称であり、文部大臣であった森がその制定を主導した。そこでは、儒教的徳育よりも、社会の共同生活における責任を旨とした人倫教育が重視された。しかし 1889 年に森が暗殺されて以降、再び儒教派が台頭することで方針転換し、学校令下での儒教化

が進められたとされる。

　とりわけそれを後押ししたのが、1890 年に発布された「教育ニ関スル勅語」こと**教育勅語**である。天皇による勅語として教学の最高規範とされたその内容は、忠孝をもって「教育ノ淵源」と据えるのと同時に、「國憲」すなわち大日本帝国憲法を重んじ「國法」を遵守すること、そして危急の際には、「臣民」としての「義勇」を「公ニ奉シ」、「皇運ヲ扶翼」することを求めている。すなわち、儒教精神をベースにしつつ、法治主義的秩序（法の支配ではない）と国体（天皇を中心とする家産国家的中央集権体制）に対する国民の自己犠牲の精神を、教育を通じ涵養することが、教学の最高規範として定位された。こうした体制のもと、1900 年の第三次小学校令において、尋常小学校における授業料の無償原則、また 1907 年の小学校令改正において尋常小学校の修業年数が 6 年と定められ、いわゆる義務教育の基礎ができあがった。なお、この修業年数は 1941 年の**国民学校令**において、高等小学校における 2 年が加えられ、戦前では、義務教育の期間は 8 年まで延長された。

　教育勅語は、1947 年 5 月 3 日に現行の日本国憲法が施行されて後（1946 年 11 月 3 日公布）、その失効が 1948 年に国会で正式に確認された。日本国憲法の三大原理である**国民主権**、**基本的人権の尊重**、**平和主義**に基づく教育を、戦後教育の新しい理念として謳ったのは、1947 年 3 月 31 日に公布・施行された**教育基本法**である。このことから教育基本法は、教育関連法規の中でも、憲法に準じる性質を持つと考えられている。そしてその前文では、教育者が憲法の理念に則り教育を行うべきことを明らかにしている。同法は制定後、2006 年に初めて改められ、その際、前文中の教育の基本理念も変更された。新旧両法の前文の全容は、次の通りである。とくに中段の文章が改められ、旧教育基本法にあった「真理と平和を希求」、「普遍的にしてしかも個性ゆたかな文化の創造」という言葉が、新法では「真理と正義を希求」に変更され、「公共の精神を尊び」、「伝統を継承」などの表現が追加されていることに、注意を要する。

　学校教育法（1947 年制定）は、学校の設置基準や義務教育制度などについて定めた法律である。1 条では学校の定義が規定されており、その範囲を、「幼

2006年改定後の新・教育基本法前文	1947年制定当時の旧・教育基本法前文
我々日本国民は、たゆまぬ努力によって築いてきた民主的で文化的な国家を更に発展させるとともに、世界の平和と人類の福祉の向上に貢献することを願うものである。 　我々は、この理想を実現するため、個人の尊厳を重んじ、真理と正義を希求し、公共の精神を尊び、豊かな人間性と創造性を備えた人間の育成を期するとともに、伝統を継承し、新しい文化の創造を目指す教育を推進する。 　ここに、我々は、日本国憲法の精神にのっとり、我が国の未来を切り拓く教育の基本を確立し、その振興を図るため、この法律を制定する。	われらは、さきに、日本国憲法を確定し、民主的で文化的な国家を建設して、世界の平和と人類の福祉に貢献しようとする決意を示した。この理想の実現は、根本において教育の力にまつべきものである。 　われらは、個人の尊厳を重んじ、真理と平和を希求する人間の育成を期するとともに、普遍的にしてしかも個性ゆたかな文化の創造をめざす教育を普及徹底しなければならない。 　ここに、日本国憲法の精神に則り、教育の目的を明示して、新しい日本の教育の基本を確立するため、この法律を制定する。

稚園、小学校、中学校、高等学校、中等教育学校、特別支援学校、大学及び高等専門学校」とし、各学校の制度上の理念が示されている。たとえば、幼稚園の制度上の位置づけについていえば、「義務教育及びその後の教育の基礎を培うものとして、幼児を保育し、幼児の健やかな成長のために適当な環境を与えて、その心身の発達を助長することを目的とする」施設であるとされる（同22条）。また、義務教育を9年とし、初等教育から高等教育までの年数（6・3・3・4制）を定めているのも、この法律である。

　近年の重要な改正点の1つが、障害児童または生徒に対する**特別支援教育**に関する定めである（2006年、同72条以下）。それまでは対象者を、「盲・聾・養護学校」に入学させる、分離型「特殊教育」を基礎としていた内容を、「障害による学習上又は生活上の困難を克服し自立を図るために必要な知識技能を授けること」を新たな目的として、対象学校を「**特別支援学校**」と改め、障害児童・生徒の自立と社会参加の平等と共生（**ノーマライゼーション**）に向けた支援に重点をおくようになった。

また 2018 年には、学習指導要領が改訂され（2020 年度から実施）、「**主体的・対話的で深い学び（アクティブ・ラーニング）**」に基づく授業の改善が盛り込まれた。これを受け同年の学校教育法改正においては、「**教育の情報化（デジタル化）**」という方針のもと、さらに障害児童・生徒への学習支援を推進するため、紙媒体の教科書に代わって「デジタル教科書」の使用を認める改正が行われた（2019年 4 月 1 日施行）。

　改訂要領にある「主体」という語は、戦後の教育指針としては繰り返し用いられてきたキーワードでもある（コラム③「権利主体」参照）。それは戦後、戦争の惨禍への反省から、自ら動き考える人間の育成という枠組みの中で用いられてきたのと同時に、1980 年代以降の日本社会の転換期においては、時代の変化に自ら対応できる主体の育成、という枠組みの中でも利用されてきた。たとえば、1984 年に設置された**臨時教育審議会**による 1987 年第四次答申書では、「知識・情報を単に獲得するだけではなく、それを適切に使いこなし、自分で考え、創造し、表現する能力が一層重視されなければならない」と述べられている。これは、知識の受動的受容ではなく、能動的活用を重視する姿勢を示すものであり、その後の「総合的な学習の時間」などの創設につながった。

2. 社会福祉にかかわる法律——社会福祉六法

　社会福祉とは、一定の事情により社会的に弱い立場におかれた人々に対し、社会的な支援を行うことをいい、児童支援、高齢者支援、障害者支援、母子支援などがこれにあたる。社会福祉分野には「**社会福祉六法**」と呼ばれる 6 つの基幹的ルールが存在し、これらはいずれも**社会法**に分類される法律である。社会法とは、私人の私的自治の原則を国家が規制することで修正し、あるいは国家が社会的弱者を支援することによって、その実質的自由を確保するために制定された法規の総称である（第 3 節 4 の社会権を参照）。一定の支援が必要な状況にあることを、単に個人の自由の帰結である「自己責任」として処理するのではなく、社会の問題としてとらえ、社会的に支援することに、社会法としての社会福祉六法の出発点がある。

（1）生活保護法

　最初に、**生活保護法**（1946年、新法1950年）は、憲法25条の生存権規定を根拠に健康で文化的な最低限度の生活を保障し、同時に対象者の経済的自立を支援する法律である。最低限度の生活保障という点では公的扶助の基本法でもあるが、保護施設（38条）への入所のように社会福祉との接点をもつことで社会福祉六法にも数えられている。保護の種類は同法11条1号から8号に8種類が規定されており、生活扶助、教育扶助、医療扶助などがある。たとえば、教育扶助の内訳としては、義務教育に必要な教科書そのほかの学用品など（同13条1号～3号）を得るために必要な経費を、原則として金銭給付によって支給されることになる（同32条）。

（2）児童福祉法

　2番目に、**児童福祉法**（1947年）は、児童の身体的・精神的福祉を保障するための制度を定めた法律である。児童福祉理念だけでなく、保育士資格の取得や職責について示した法律でもある（同18条の4以下）。2016年に質的な大改正が行われ、子どもの権利に適合するように、児童福祉理念がより明確化された。また、児童虐待の発生予防とその対応、被虐児童へのケアに関する規定も改められている。同法1条1項では、「全児童は、児童の権利に関する条約の精神にのっとり、適切に養育されること、その生活を保障されること、愛され、保護されること、その心身の健やかな成長及び発達並びにその自立が図られることその他の福祉を等しく保障される権利を有する」と規定され、「**児童の権利条約（子どもの権利条約）**」（第1章参照）の精神を、児童福祉法が取り入れることを明示している。これは改正前の旧法の規定にはなかった表現である。また、同2条1項では、「全国民は、児童が良好な環境において生まれ、かつ、社会のあらゆる分野において、児童の年齢及び発達の程度に応じて、その意見が尊重され、その最善の利益が優先して考慮され、心身ともに健やかに育成されるよう努めなければならない」と規定されている。「意見の尊重」とは、子どもの権利条約で定められている子どもの意見表明権を、児童福祉法の中で明記し

たものである。同2条2項では、児童の保護者が児童の健全育成について第一義的な責任を負うこととし、同2条3項で、国および地方自治体が、保護者と共にこの責任を果たさなければならないと規定されている。これら1条と2条が、児童福祉を保障するための原理である（同3条）。

子ども・子育て支援法（2012年）は、こうした児童福祉法の理念と相まって、同時に少子化対策の一環として制定された法律である。同法は、「急速な少子化の進行並びに家庭及び地域を取り巻く環境の変化に鑑み」、児童福祉法やそのほか子ども関連の諸法規とのかかわりから、「子ども・子育て支援給付その他の子ども及び子どもを養育している者に必要な支援を行い、もって一人一人の子どもが健やかに成長することができる社会の実現に寄与すること」を目的とする（同1条）。同法上でも、児童福祉法と同じく、子育てについては父母などの保護者がその第一義的責任を負うとされるが、同時に「家庭、学校、地域、職域その他の社会のあらゆる分野における全ての構成員」に対し、それぞれの役割分担と協力を呼びかけている（同2条1項）。

同法は、2012年に成立した「子ども・子育て支援新制度」関連3法の1つでもある。2つ目は、**認定こども園法**（2006年、正式名称は、就学前の子どもに関する教育、保育等の総合的な提供の推進に関する法律）の改正で、この法律は教育と保育の双方にかかわる。同法1条では、「小学校就学前の子どもに対する教育及び保育並びに保護者に対する子育て支援の総合的な提供を推進するための措置」を講じ、それにより「地域において子どもが健やかに育成される環境の整備に資すること」が目的に挙げられている。このように保育・教育機能を果たし、地域での子育て支援をするための施設が、認定こども園である。

これを受けて、「認定こども園に関する国の指針」（平成18年8月4日内閣府・文部科学省・厚生労働省告示第1号）では、認定こども園を、①幼保連携型、②幼稚園型、③保育所型、④地方裁量型に分類し、それぞれ従わなければならない法令（とくに学校教育法と児童福祉法）や要領（第5節で後述）を明記している。2012年の関連3法としての改正では、とくに幼保連携型認定こども園に関し、施設への認可・指導体制を一元化し、学校および児童福祉施設としての法的性

質を明確にすることで、政府による近年の幼保一元化政策が推進された（なお
関連3法の最後の1つは、前記2法の施行に関連する総計55法について、必要な改
正点や解釈基準を示したガイドライン的な法律である）。

(3) 身体障害者福祉法

第3の社会福祉六法として、**身体障害者福祉法**（1949年）は障害者福祉に関し
て定めている。学校教育法のところで述べたノーマライゼーションの理念は、
この法律との関係で理解される必要がある。すなわち、同法1条は、障害者総
合支援法（2005年）と相まって、「身体障害者の自立と社会経済活動への参加を
促進するため、身体障害者を援助し、及び必要に応じて保護し、もって身体障
害者の福祉の増進を図ること」を理念としている。ケアの主眼として、障害者
の保護だけでなく、自立と社会参加にも重点がおかれ直されているのが重要で
ある。

(4) 知的障害者福祉法

第4番目に、**知的障害者福祉法**は、1960年に制定された精神薄弱者福祉法を、
1999年に改正し成立した。身体障害者福祉法と同様の構造をもち、その目的
に関しても「知的障害者の自立と社会経済活動への参加を促進するため、知的
障害者を援助するとともに必要な保護を行い、もって知的障害者の福祉を図る
こと」とあるように、自立支援の理念が共通する（1条）。ただし身体障害者福
祉法では、保護が「必要に応じて」とあるのに対し、知的障害者福祉法では
「必要な保護」と定められ、保護の比重がより高いとも解釈される。

(5) 老人福祉法

第5番目に、**老人福祉法**（1963年制定）は、老人福祉の原理を明らかにし、そ
の心身の健康や安定した生活の保持を目的に制定された法律である。制度とし
ては、老人デイサービスセンターや特別養護老人ホーム、老人介護支援センタ
ーなどの老人福祉施設（同5条の3、14条以下）について定めている。その基

本理念は、老人が敬愛され生き甲斐を持てる生活の安定（同2条）、同時に老人自身の心身の健康保持と社会参加の促進（同2条1項）、社会活動への参加の機会の付与（同2条2項）におかれている。

　もっとも現在、老人福祉法上の直接のサービス対象枠は狭まっている。その理由の1つは、**介護保険法**（1997年）との関係である。同法は、老人の生活を支える介護制度を、社会保険形式（サービス受給のために事前の保険料納付など一定の自己負担が必要）で定めた法律であり、介護の社会化と、老人福祉における給付と自己負担分を明確化したという意義がある。すなわち40歳以上の者は、介護保険料を納めなければならない。現在、老人介護もまた、この法律における介護保険の適用が原則である。老人福祉法は、もともとは憲法25条生存権規定を根拠に、すべての老人に対する社会福祉を規定していたが、社会福祉財政の悪化を受け、このような適用順位となった。

(6) 母子及び父子並びに寡婦福祉法

　最後に挙げる社会福祉六法は、**母子及び父子並びに寡婦福祉法**（1964年の母子福祉法を基とし、1981年改正における母子及び寡婦福祉法を経て2014年に改正）である。すなわちこの法律は、ひとり親家庭と寡婦の生活における安定と自立、ひとり親家庭での児童の健全な育成を目的とする（同1条～5条）。また、この法律において「寡婦」とは、単に配偶者と離婚や死別などした単身の女性を指すのではなく、「配偶者のない女子」で、「かつて配偶者のない女子」として「児童を扶養していた」女性を指す（同6条4項）。すなわち、女性は扶養義務を果たした後でも「寡婦」として引き続き支援が受けられる。母子家庭規定は13条以下、父子家庭規定は31条の六以下、寡婦規定に関しては32条以下にあり、それぞれ福祉資金の貸付け、日常生活支援事業などを受けられる。

　なお、寡夫（配偶者のいないかつて児童を扶養していた男性）はこの法律の適用を受けないため、寡婦と異なり同法32条以下の支援を得られない。こうした扱いの差には、寡夫に関しては十分な労働をしていることが期待されるというような、「**ジェンダー（社会的・文化的性差）**」に基づく性別役割分業意識が反

映されている。そもそもこの法律が父子家庭を対象としたのは、ようやく2014年改正以降であり、それまでは法律名も、単に「母子及び寡婦福祉法」であった。父子家庭も支援の対象としたのは、父子家庭の困窮状態（これは子どもの貧困問題でもある）が近年社会的に明るみに出ていくにつれ、父子家庭には支援の必要がないという偏見が修正されたからである。同様に、寡夫に関する保護もまた、実態（寡夫の方が社会的に孤立している場合が多い）に即して検討し直していく余地があるだろう。

第5節　保育指針・教育要領と個人の尊厳

　日本国憲法のよって立つ原理の1つである「**個人の尊厳**」原理（憲法24条2項）は、「人間の尊厳」という、人間は尊いがゆえに人権の主体たりうるという考え方を、とくに「個人」を強調して示した独特の表現である。個人の尊厳は、人間の尊厳と同義であるという解釈もあるが、戦前、集団の前に個が蹂躙された日本の経験を踏まえれば、個人の尊厳とは、戦後日本社会で、人間を「一人一人異なり」尊いものとして扱うようとくに強く求める、固有の人権原理であるといえる。そして憲法で要請されている以上、国内法規一般の重要な指針を示しているといって過言ではない。事実、先述のように、教育基本法の前文の中にもとどめおかれ、子どもの権利条約で提示される権利主体としての子ども観にも合致し、よって児童福祉法にも反映されるべき理念となっている。つまり、個人の尊厳を理解することは、教育と児童福祉に携わる者が守るべき職業倫理と密接にかかわっている。

　一方で、**国連子どもの権利委員会**は、乳幼児期の子どもも尊厳ある権利主体とみなすよう求めている（「乳幼児期における子どもの権利の実施」パラグラフ5、14「一般的意見7号」2005年所収）。世界的にみてもまだ新しい視点であり、とくに保育時点での乳幼児に対して、こうした見方を実際に持つことは、なかなか難しいかもしれない。しかし、厚生労働省「**保育所保育指針**」（2017年3月31日改正、2018年4月1日実施）では、「第1章　総則　1 保育所保育に関する基

本原則」の「(3) 保育の方法」項目アにおいて、保育士は「子どもの**主体としての思いや願いを受け止めること**」が求められており、また、同「(5) 保育所の社会的責任」項目アでは、「保育所は、子どもの人権に十分配慮するとともに、**子ども一人一人の人格を尊重して保育を行わなければならない**」と定められている。保育所における養護の理念が、「**養護及び教育を一体的に行うことをその特性とするもの**」(「2 養護に関する基本的事項 (1)」)とされ、保育士が事実上、初めて子どもが長期に接する血縁者以外のおとなであることを考えても、保育士のこうした人権への理解は、保育という「教育」を通じて子どもに大きな影響を与えることが予想される。

　加えて、文部科学省「**幼稚園教育要領**」(2017 年 3 月 31 日改正、2018 年 4 月 1 日実施) もまた、「第 2 章　ねらい及び内容」の「人間関係 3 (2)」において、「集団の生活の中で、幼児が**自己を発揮し、教師や他の幼児に認められる体験**をし、自信をもって行動できるようにすること」を、幼稚園修了までに育てるよう指示している (第 4 節 1 の学習指導要領改訂とも関連する。いずれも中央教育審議会の答申を踏まえたものである)。

　同様に、内閣府・文部科学省・厚生労働省「**幼保連携型認定こども園教育・保育要領**」(2017 年 3 月 31 日改正、2018 年 4 月 1 日実施) の「第 1 章　総則　第 3 幼保連携型認定こども園として特に配慮すべき事項 5 (2)」でも、幼児が「周囲から主体として受け止められ主体として育ち、自分を肯定する気持ちが育まれていくように」留意することが求められており、この点は保育所保育指針と共通の内容となっている (なお、認定こども園はすべてこの要領を踏まえた教育・保育を行うが、とくに、幼稚園型は幼稚園教育要領を、保育所型は保育所保育指針に準拠することが前提である)。

　以上のように、幼児が自己を発揮し、また他者の間で人間としての承認感を得るためには、どのような施設においても、子どもを一個の人格を有する主体としてみる視座が重要となる。

　こうした乳幼児の人格形成期にかかわる問題として、日本にはまだ、ジェンダーに基づく性別役割分業意識が根強く、それが人としての在り様を未だに強

く拘束しているという指摘がある（後述のコラム参照）。とくにジェンダーと人格形成の問題について、保育所保育指針の「第2章　保育の内容　4 保育の実施に関して留意すべき事項」における「(1) 保育全般に関わる配慮事項」項目カでは、「子どもの性差や個人差にも留意しつつ、**性別などによる固定的な意識を植え付けることがないようにすること**」が、強調されている。これは、幼保連携型認定こども園教育・保育要領「第2章　ねらい及び内容並びに配慮事項　第4　教育及び保育の実施に関する配慮事項2 (6)」でも言及されている（なお、幼稚園教育要領の中に同種の記載はないが、学校教育体系における他法などとのかかわりから、同じことが求められていると解される。たとえば、教育基本法11条「幼児期の教育は、生涯にわたる人格形成の基礎を培う重要なものである」との位置づけ）。この時、子どもと接する者はさらに、自己の経験の中で培ってきたジェンダー意識を自明のものとはせず、対象と向き合うことが求められている。

　性別役割の問題以外にも、「性同一性障害」などの例にみられるジェンダーに違和感を抱える子ども、同性愛／異性愛など多様な**セクシュアリティ**を有する子どもの存在も念頭におかなければならない。性を固定化する差別は許されず、性的マイノリティ、**LGBTQ+**（Lesbian、Gay、Bisexual、Transgender、Queer／Questioning、plus）の人権を尊重することが重要である。多様な性の尊重として、無性愛（asexuality）という性的関心のない人の存在も大切である。そのために、保育・教育の実践者は、自身が有する特定の人間像を、まさに「規範」として内面化し、他者に一方的に投影していないか省察する必要がある。この時、子どもの論理的に言語化されていない、単なる不確定なしぐさにしか思われないような行動も、実は子どもの潜在的なアイデンティティが表出したサインであるかもしれず、これもまた子どもの「意見の表明」としてとらえ、尊重する姿勢が必要になってくるだろう。こうした姿勢に関し、たとえば幼稚園教育要領2章「表現3 (2)」は、幼稚園教諭に対し、「幼児の自己表現は素朴な形で行われることが多いので、教師はそのような表現を受容し、幼児自身の表現しようとする意欲を受け止め」るように求めている（他ガイドラインでも同様の記述）。自己の多層性を、おとなの言語で論理的に「表現できない」ことは、その幼児

に多層性が「存在しない」ことを意味するものではないことに、注意を要する。

　「ケアする者」と「ケアされる者」との間には、どうしても権力格差が発生し、ケアの関係はともすれば「支配」、「被支配」の関係に転化する危険性をともなう。たとえ善意であったとしても、子どもの人格の発達という点では、それは既存の特定の社会的人格の型に、子どもを強制的に押し込むことにもなりうる。人格形成期にある子どもたちの中でも、とくにジェンダー違和やセクシュアリティ違和を抱える子どもにとっては、自己否定の念を早期に植えつけられることになり、その後のアイデンティティ構築が阻害されかねない。このような事態を、法の言語を用いて回避しようとするならば、それはやはり、憲法や教育基本法、児童福祉法などの諸法規、そして、意見表明権などの理念に示される個人の尊厳原理の重視を心がけるということにおいてほかはないだろう。

Column ②　フェミニズムとジェンダー

　フランス人権宣言（1789年）は一般に「すべての人」の自由と平等を宣言した政治文書として知られるが、宣言内に表現されている「人」を示すフランス語は、全て homme ＝ man（男・人）であり、femme（女）という語は一言も出てこない。そして事実、宣言後に成立した法制度において、女性には経済権や参政権は認められなかった。当時、女性にはそうした権利を行使する能力はない、と考えられていたからである。このような見方は、ルソーの書いた『エミール』（1762年）にも示されている。子どもに対し発達段階に即した「自然な教育」の必要性を訴えたことで知られる同書は、実は男児を主な対象としたものである。ルソーは女児教育については、女性として男性の嗜好に合う補助的な存在となるよう、男性に対する服従を説く「しつけ」を推奨したにすぎない。

　しかし、まさにその18世紀には、中産市民階級以上の家庭では、家庭内教育を通じ、多くの女性が文字を読み書きする能力を身につけるようになっていた。肝心の「教育」の内容は偏ったものであっても、読み書きの力は、自ら考え行動する力を与える。こうした背景を基に、18世紀半ば以降、社会に向けて自らの思想を発信する女性たちが増加し、19世紀には、女性の法的無権利状態を解消しようとする運動はヨーロッパ各地に広まった。特定の思想家の影響力に依存する個別的主張ではなく、社会運動としての広がりをみせた男女平等の運動が、世界史上初めて発生したのである。これを**第一波フェミニズム運動**といい、その主目的は、夫婦の法の下の平等、また女性の経済権や参政権の獲得であった。

19世紀末には公教育も広がり、識字可能な社会層も拡大した。それと共に女性のおかれた法的劣位は、一層非合理的なものとなっていった。そして、20世紀初頭以降、各国で男女普通選挙など法的権利における平等がついに実現し始める。

しかし、法的レベルで平等が進んでも、女性の社会参加における平等はなかなか進まなかった。すなわち、女性を、子を産み育てる性と認識する社会慣習が、家庭外で女性が自己実現する妨げとなり、なお強い影響を与えていたからである。1960年代後半から現れた**第二波フェミニズム運動**は、慣習レベルにおける強固な性別役割分業意識をも改革するように訴え、世界的に広がった。

こうした主張で参照される概念が、「ジェンダー」である。性は生得的なものでなく、むしろ社会的・文化的背景を基に後天的に付与されるという視座は、特定の生物学的性（セックス）に生まれた以上、その「性らしさ」のコードに従って生きていかなければならないという運命論の非合理を暴いた。そして今や、生物学的性それ自体もまた、ジェンダーによる構築物とする見解が一般的である（ジュディス・バトラー『ジェンダー・トラブル』。実際は性染色体の多様性や両性具有など、生物学的性も単純に二分できないが、性別は男女に分けられ、区分けられない性を異常とする発想から性の二分化が強制されているとみる）。

また、ジェンダー平等に関する国際的な成果としては、1979年に採択された**女性差別撤廃条約**を指摘できる。さらに2015年に採択され、2030年までの国連開発目標となる**SDGs**でも、ジェンダー平等が掲げられている。

現在の日本でこれらと関わる法令としては、**男女雇用機会均等法**（1986年施行）、**男女共同参画社会基本法**（1999年施行）などを挙げることができる。後者の制度下で、社会における固定的な性別役割分業意識を解消するための計画が策定されているが、世界経済フォーラムが毎年公表しているジェンダーギャップ指数のランキングによると、日本は極めて低い地位にとどまる（2021年公表値で156の国・地域の中で120位の平等度）。その原因には、極東アジアに未だ根強く存在する性別役割分業意識があると分析されている。現在、保育・教育の場面で、子どもたちに「固定的な性別観念を植え付けることがないように」（第5節参照）求められているのも、こうした流れの所産である。

Column ③　権利主体

人間が人権を持つ根拠の1つとして、人間が一人一人違って尊いからという理由がある。この尊さの理由の主なものに、人間が**理性**を有することが挙げられる。理性の定義にはさまざまあるが、一般に、多様な情報を論理的に総合し結論を導く人間の知的能力のことを指す。こうした理性を人間は生まれながらに有するが、単なる「理性機械」なのではなく、その行使の仕方は各人で異なり、

同じ存在は二度と再現し得ないことが、**人間の尊厳性**の由来であり、人権を享有する主体としての条件でもあった。そして、そのようなかけがえのない人間が不当に傷つけられず、また理性を行使し行動する条件として、生まれながらの自由が人権の内容として求められてきた。同時にこの自由は、人間を相互に理性を有する「**人格**」として平等に尊重し合うことを求める。自分にしか自由が実現しないのであれば、客観的な自由な世界は存在し得なくなるし、また、何にも縛られない自由は真の自由ではなく、欲望に理性を従属させている「不自由な状態」（動物的自由）と考えられるからである。こうして、法的権利を有する主体像もまた、理性を行使できる自律的な人間が前提とされる。そして、理性がありながらあえて不正をなすことが、その人の行動の責任を問う根拠となる（カントなど）。現代の法制度において、明晰な判断ができない状態におかれた人の行為が法的責任を減殺されるのも、こうした理由による。

　すなわち主体とは一般的な意味において、自らの意志で動く独立した理性的活動体を指す。そのため教育分野では、積極的・能動的に考え活動する人、また法学分野では権利義務を行使する資格をもつ人格、というような意義において用いられることが多い。

　しかし現在、このような近代的な主体像は、さまざまな批判や再定位が試みられている。たとえば、権利主体性の条件である、自由で平等な理性的「**主体**（sujet, subject）」とは、結局、自ら真に自律的に獲得する固定的な属性というよりも、体制＝権力によって形成される属性であって、その制度の中で一定の条件を満たした人に付与される資格にすぎず、同時にそれはそうした権力に服従し管理されるという従属性と表裏一体の概念であると指摘される（ミシェル・フーコー）。また、人間中心主義的な主体概念への批判（ジャック・デリダ）、さらに主体とは、社会の諸層（学校やメディアや宗教など）を通じ複合的に形成されるもので、それら制度を維持存続させるために、構造によって決定され再生産される既定概念であるとの分析もある（ルイ・アルチュセール）。ほかに、19世紀的な成人白人男性をモデルとするもので、男性支配を肯定し異なる他者を排除するよう機能してきたとも責められる（フェミニズム）。さらに応用倫理学においては、理性を有することが人権の究極の根拠であるゆえに、子どもや老人、そのほか何らかの障害により理性を行使できない人の権利主体性を、あたかも否定するようなイメージを抱かせる、との批判もある。このように古典的な意味での主体像には、さまざまな立場（とくにポストモダニズムを中心とした）から再考が求められている。

　こうした思想の流れの中にあって実は、子どもの権利条約における子どもの権利は、子ども観の転換だけでなく、伝統的な自律的理性的権利主体像の転換をも求めている。この権利観は、子どもの権利主体性を、自律が完全でなく保護が必要であることを理由に否定していない。権利主体者が完結した理性の保

持者であることを、要求していないのである。法哲学者の大江洋は、こうした権利観を、「関係的権利」という概念からサポートしている。大江の定義では、関係的権利とは、「作られる自己と作り変える主体性との相互作用が関係性を構成」していることを前提に、「その関係性自体を社会的に保障する」権利であるとされる。つまり、自己や自律とは他者との関係から閉じられたところにあるのでなく、他者関係の中で生成・発展するものであることを踏まえて、豊かで多様な差異（＝他者）が存在する社会のネットワーク（＝関係性）それ自体を保障することが、権利として求められているのである。完成された自己や自律を前提とせず、従来の権利主体像としては不完全とされる「被保護者」というゆらぎも、そのまま権利主体者の属性として認めているので、子どもも当然、その意味で一個の権利主体者となりうる。この権利は、社会における多様な差異の関係性を破壊するような差別を禁じ、教育の場においては、子どもが有する個々の差異を奪うことを禁じる。こうした権利主体像と権利観は、子どもを自律の欠いた不完全な主体とはせずに、それ自体の尊厳を認める視座と共通する。

【引用・参考文献一覧】

・芦部信喜『憲法［第7版］』岩波書店、2019
・伊藤博「教育史から見た幕末期から明治初期の教育」『大手前大学論集』12、2012
・伊奈川秀和『〈概観〉社会福祉法［第2版］』信山社、2020
・大江洋『関係的権利論—子どもの権利から権利の再構成へ』勁草書房、2004
・川口創、平松知子『保育と憲法—個人の尊厳ってこれだ！』大月書店、2017
・廣嶋龍太郎「森有礼の道徳観—文相期の徳育政策面から—」『明星大学教育学研究紀要』20、2005
・藤田由美子『子どものジェンダー構築—幼稚園・保育園のエスノグラフィ』ハーベスト社、2015
・向井久了『法学入門—法律学への架橋』法学書院、2009
・文部省編『学制百年史』帝国地方行政学会、1972

Chapter 6

児童福祉と地域福祉をめぐって
──学校・家庭・地域社会との連携

第 1 節　子育てに関する地域福祉理解

　地域福祉とは、地域においてさまざまな生活上の課題に直面している住民に対して、必要なサービスを提供することや地域の社会資源の整備、ネットワークの構築、社会福祉制度の確立、福祉教育の展開を総合的に行うことである。制度化されたサービスや事業だけではなく、行政・関係諸機関ボランティア、NPO そして地域住民が協働し実践していくものでもある。地域福祉は、地域における人と人とをつなげる役割を持っており、地域住民のつながりを再構築し、支え合う体制の実現を目指している。

　これまで社会的な支援の対象から外れてしまうことが多かったホームレスやひきこもり、孤育て（母親が夫や周囲の協力が得られず、孤立した中で子育てを行う状態）、高齢者の孤立などの福祉課題、生活課題が複雑化・深刻化している現状があるが、こうした課題の要因として社会からの孤立や排除が指摘されて

いる。本章では主に子育てに関して地域の福祉的視点からこうした課題について述べていく。

まずは、福祉・地域福祉の中でも今回のテーマと関連の深い用語等について整理していく。

1. 社会福祉をめぐる基本理念と子ども・子育て支援法

(1) ノーマライゼーション

ノーマライゼーションの理念は、1950 年代頃、デンマークのバンク・ミケルセン（Neils Erik Bank-Mikkelsen）が提唱したもので、知的障害者施設の在り方をめぐる問題の反省から始まったものである。障害者も健常者も若者も高齢者も共に受容し合い、支えあいながら生きていく社会こそがノーマルなことだという考え方であり、社会福祉の基本理念となっている。地域の中ではさまざまな人が生活をしているが、その一人一人が排除されることなく共に支え合いながら生きていく上で大切な視点である。

(2) ソーシャル・インクルージョン

ノーマライゼーションの理念を発展させたものである。**ソーシャル・インクルージョン**は、あらゆる人々を孤独や孤立、排除や摩擦から護り健康で文化的な生活ができるように、社会の構成員として包み込み支え合うという考え方である。ノーマライゼーション同様に地域福祉の中では重要な理念となっている。

(3) 子ども・子育て支援法の基本理念

子ども・子育て支援法第 2 条の基本理念では「子ども・子育て支援は、父母その他の保護者が子育てについての第一義的責任を有するという基本的認識の下に、**家庭、学校、地域、職域**その他の社会のあらゆる分野における全ての構成員が、各々の役割を果たすとともに、**相互に協力**して行われなければならない」とあり、子育てに関しての社会的な連携を重視していることがここから明らかとなっている。2015 年度から「子ども・子育て支援新制度」が実施され、す

120　第 6 章　児童福祉と地域福祉をめぐって──学校・家庭・地域社会との連携

べての子育て家庭を対象に、地域のニーズに応じたさまざまな子育て支援を充実させることが目指されている。支援拠点として保育所、幼稚園のみならず、認定こども園でも地域における子育て支援を行う機能が求められ、すべての子育て家庭を対象として、子育て不安に対応した相談活動や、親子の集いの場の提供なども行う。

2017年に告示された「**幼保連携型認定こども園教育・保育要領**」では、「幼保連携型認定こども園は、地域の子どもが健やかに育成される環境を提供し、保護者に対する総合的な子育て支援を推進するため、地域における乳幼児期の教育および保育の中心的な役割を果たすよう努めること」という項目が加わった。

2. 地域福祉に関する事業と関連機関等

(1) 社会福祉事業

社会福祉事業では、**社会福祉を目的とする事業**のうち、規制と助成を通じて公明かつ適正な実施の確保が図られなければならないものとして、法律上規定されている事業をいう。経営主体等の規制、都道府県知事等による**指導監督**、第1種社会福祉事業と第2種社会福祉事業の分類などがある。

(2) 社会福祉法人

社会福祉法人とは、社会福祉法に規定される社会福祉事業を行うことを目的とした**公益法人**である。実施している**社会福祉事業**に支障がない限り公益事業や収益事業を行うことができる。保育園や放課後児童クラブ、児童館の運営を行う社会福祉法人もある。

(3) 社会福祉協議会

社会福祉協議会は、地域福祉の推進を目的とした組織である。社会福祉に関する相談支援、日常生活自立支援事業、**ボランティア**、**市民活動**への支援を、民生委員・児童委員、社会福祉施設・社会福祉法人等の社会福祉関係者、保健・医療・教育などの関係機関とも連携を取りながら行っている。

(4) 福祉事務所

福祉事務所は、社会福祉法第14条に規定されている社会福祉に関する援護、育成または更生の措置に関する事務を司る第一線の社会福祉行政機関である。**民生委員・児童委員**に関する事務、児童扶養手当に関する事務などを行っている。

(5) 児童相談所

児童相談所は、児童福祉法に基づく児童福祉の専門機関である。子どもに関する相談、調査・判定、指導、措置、一時保護などを行う。児童の福祉や**健全育成**等あらゆる相談に応じて、児童だけではなくその保護者にも支援を行う。

第2節　家庭支援の意義と概略

1. 家庭をめぐる環境の変化

現在、わが国では子どもたちの社会性のなさが指摘されている。それらをすべて親の責任としてしまうことでは問題の解決は図れない。

この家庭内の教育力の低下が懸念され始めてから学校での「**生きる力**」等の育成に期待が持たれた。その後、25年近くが経過したが学校の授業時間だけでは、未だに本当に必要な力を育むことまで補いきれないのが現状である。学校教育だけでは、子どもたちの育成に長期的にかかわることは困難である。そのため地域社会の中で教育を補おうとする試みがなされてきている。

子どもの環境の変化について、時代を遡って考えてみる。第二次世界大戦後の日本の家庭は著しく変わった。「家族制度の解体と共に女性の社会進出も活発になった。核家族化が進んで、家族間の気苦労や、煩わしい親戚づきあいの義務・近所づきあいからも解放された。食生活も衣生活でも主婦の家事労働は極端に省力化された。現金さえあればたいていの欲しいものは手に入れることができるという物質万能の世の中となった」(大藤、1985) この変化は、1960年代の**高度経済成長期**の頃から顕著になった。核家族化の傾向はあったものの高度経済成長期の頃から出生数も第2次ベビーブームまで再び増加し、近代より

は少ないが兄弟姉妹のいる中で、子どもたちは成長できた。だが、その後バブル後の長引く不況のもと、共働き家庭の増加、そして出生率の低下は現在に至るまでとどまるところを知らない。さらに、忙しくなった両親は子どもと接する時間が減少し、家庭での養育機能もますます低下している。そのまま兄弟姉妹の数も減り、かつてあったきょうだいの中での切磋琢磨をして強く成長していく環境も変わってしまった。

　核家族化で影響を受けたのは子どもだけではなく、高齢者も大きな影響を受けたことにも触れておく。核家族化により、高齢者のみの世帯が増加している。彼らは日本の高度経済成長期を支え、就業していた時代は多忙の日々で、その多くが地域に目を向けている余裕はなかった。その世代が高齢期を迎えた時に、気づけば地域から孤立した状態になることは、想像に難くない。定年を迎えてもまだまだ体力・能力の衰えない高齢者は年々増加しているが、地域とのかかわり方もわからず、そのきっかけも得ないでいる。子どもたちや子育て世代に、その経験や知識を生かして、伝えられることは数多くあるはずであり、「子育てのための地域資源」となるはずである。しかし、せっかくの貴重な「地域資源」が活用されずに埋没してしまうのは、非常に残念である。人々のかかわりの希薄化は、さまざまな世代を孤立させてしまっている。

2.　地域の子育てを支援する事業の開始

　このように地域におけるつながりが希薄になってしまった現在の子育て環境は、母親の孤立をさらに強める状態を作ってしまった。こうした課題に対応すべく、母親の孤立を解消し、地域の教育力を高めるために、地域における子育て支援を充実させていく動きが始まったのである。その1つに**地域子育て支援拠点事業**がある。地域子育て支援拠点事業とは、市町村が実施主体となり、乳幼児及びその保護者が相互の交流を行う場所を開設し、子育てについての相談、情報の提供、助言その他の援助を行う事業である。

　「地域子育て支援拠点事業の実施要綱」（厚生労働省、2017）によると、少子化や核家族化の進行、地域社会の変化など、子どもや子育てをめぐる環境が大き

第2節　家庭支援の意義と概略　123

く変化する中で、家庭や地域における子育て機能の低下や子育て中の親の孤独感や不安感の増大等に対応するため、地域において子育て親子の交流等を促進する子育て支援拠点の設置を推進することにより、地域の子育て支援機能の充実を図り、子育ての不安感等を緩和し、子どもの健やかな育ちを支援することを目的としている。社会福祉法人、NPO法人、民間事業者等も委託により運営を行っており全国各地で多様な支援が展開されている。

第3節　児童福祉の施設分類

　こうした社会の流れの中で、地域における子育てに関する専門機関としての役割が各児童福祉施設でも求められるようになった。それぞれの施設において従来中心となっていた機能以外にも子育ての相談・援助・自立支援等の役割は、さらに重視されてきている。たとえば、児童養護施設では、地域の子どもを対象とした児童家庭福祉に関する**地域相談機関**としての役割や保護者が病気、その他の理由により家庭において、児童の養育が一時的に困難となった時等に**一時預かり事業**を行う役割もある。子育てに関する相談を通して、児童虐待の発見・防止につなげ、親子関係の再構築を行うなどの地域の子育て支援も行っている。施設は地域から隔絶された特定の利用者だけのものではなく、他機関や地域団体・住民と連携して、地域の子どもや親の抱えるさまざまな諸問題を解決するための支援を行っているのである。なお、保育所は児童福祉施設の1つである。ここで、表6-1の通り、児童福祉の施設を説明しておく。

表6-1　児童福祉施設の種類

施設名	対象・目的
助産施設	経済的理由で入院助産を受けられない妊産婦を入所させ助産の支援を行う。
乳児院	乳児（とくに必要な場合、幼児も含む）を入院させて養育し、退院した者について相談その他の援助を行う。

母子生活支援施設	配偶者のない女子またはそれに準ずる事情にある女子およびその者の監護すべき児童を入所させ保護・支援し、退所した者の相談・援助を行う。近年では、ＤＶ被害者が入所者の半数程を占め、虐待を受けた児童、精神障害や知的障害のある母や、発達障害など障害のある子どもも増加している。母子が一緒に生活しながら、支援を受けられる施設。
保健所	地域の医療機関や市町村保健センターの活動・サービス調整を行うなど健康危機管理の拠点となる。母子保健や障がい等の福祉分野で大きな役割を果たしており、保健所における健診・指導は、児童虐待の早期発見にもつながっている。
保育所	乳児・幼児を対象に保育を必要とする子どもの保育を行う施設。在園中の子どもの保護者に対する支援や地域の子育て家庭に対する支援を行う役割も担う。
幼保連携型認定こども園	幼稚園的機能と保育所的機能の両方を併せ持つ単一の施設として、認定こども園としての機能を果たす。
児童養護施設	保護者のいない児童、虐待されている児童等を入所させて養護し、退所した者についても相談・援助を行う。児童養護施設入所者は、状況に応じて 22 歳の年度末まで在所できる。
障害児入所施設	2012（平成 24）年施行の「児童福祉法」改正で、障害児施設については、従来の障害種別ごとに分かれた施設体系から、通所・入所の利用形態別に一元化された。福祉型障害児入所施設と医療型障害児入所施設に区分され、障害児の保護、指導、知能技能の付与を行う。医療型施設では治療も行う。障害児通所支援は、①児童発達支援 ②医療型児童発達支援 ③放課後等デイサービス ④保育所等訪問支援の 4 種類がある。
児童発達支援センター	福祉型と医療型に区分され、障害児を日々保護者の元から通わせて指導、知能技能の付与、適応のための訓練を行う。医療型センターでは治療も行う。
児童心理治療施設	虐待や人間関係等が原因で、心理的に不安定な状態にあり、社会生活が困難になっている児童を短期間入所または通所させて、治療および指導を行う施設。「児童福祉法」の改正（2017 年）により情緒障害児短期治療施設から児童心理治療施設へと名称変更された。
児童自立支援施設	不良行為をなし、またはなす恐れのある児童および生活指導を要する児童を入所または通所させ指導、自立支援を行い、退所した者の相談・援助を行う。「社会的養護の現状について」（厚生労働省、2016 年 7 月）によると入所している子どものうち、約 6 割は、虐待を受けていることが明らかとなっている。

児童厚生施設	児童館・児童遊園等、児童に健全な遊びを与え健康を増進し情緒を豊かにする。0〜18歳未満の子どもを対象に児童に健全な遊びを提供し、地域における子育て支援を行い、子どもを心身共に健やかに育成することを目的とする。
児童家庭支援センター	地域の児童の福祉に関する相談、助言などを行い、また市町村の求めに応じ助言、援助などを行うほか、保護を要する児童やその保護者に対する指導、児童福祉施設などとの連絡調整等を行い、地域の児童や家庭の福祉の向上を図る。施設によってそれぞれ目的は異なるが、多くの施設が子育てに関する相談に対応し、必要な場合には他の機関につなげたり、他の施設・学校・民生委員等とも連携し、情報共有も行いながら支援をしていく。また、入所施設に関しては退所後の児童に対しての相談援助も行っている。社会的養護の施設では、退所後に地域の中で自立生活を行っていくための支援を行っているが、そのためにも日常的な地域との交流や連携は必要不可欠である。

第4節　子どもの居場所

1. 健全育成

　子どもが安全に、安心して育つことができる環境づくりは、とても重要なテーマであるが学校や前述の福祉施策の他にはどのような施策がわが国にはあるのだろうか。児童福祉法において子育ては、その第一義的責任は保護者にあるとしつつも、国・地方公共団体に対しても子どもたちの育成を支援する責任があることを定めている。子どもの育ちを支える場は学校だけではなく、地域の中にさまざまなかたちで存在している。「すべての子どもの生活の保全と情緒の安定を図って、一人一人の個性と発達段階に応じて、全人格的に健やかに育てる」(児童健全育成推進財団) という**健全育成**という概念があるが、この健全育成を実践し、子どもの育ちを支え福祉を増進させるためのわが国の施策を本節では説明する。

2. 放課後支援事業

（1） 放課後児童健全育成事業

放課後児童健全育成事業とは、児童福祉法第 6 条の 3 第 2 項の規定に基づき、保護者が労働等により昼間家庭にいない小学校に就学している児童に対し、授業の終了後等に小学校の余裕教室や児童館等を利用して適切な遊びおよび生活の場を与えて、その健全な育成を図るものである。自治体や実施主体によって「学童クラブ」「**放課後児童クラブ**」「学童保育所」等と呼称が異なる場合がある。本章では、厚生労働省の使用している「放課後児童クラブ」で、統一して扱う。現在の設置状況は表 5-2 のようになっている。

保育所と同様に、都市部においては放課後児童健全育成事業の**待機児童問題**が発生している。こうした状況から国では、「**放課後子ども総合プラン**」（2014 年 7 月）を策定し、待機児童問題解消への取り組みが始まった。同プランでは 2019 年度末までに 5 年間で 30 万人分新たに受け入れられるよう整備することを目標としていた。

表 6-2　全国の放課後児童健全育成事業実施状況 （2020 年 7 月 1 日現在）

設置数		26,625 ヵ所
登録児童数		1,311,008 人
運営主体別数	公立公営	8,103 ヵ所
	公立民営	12,747 ヵ所
	民立民営	5,775 ヵ所
実施主体		市町村、社会福祉法人、NPO 法人、保護者会・運営委員会など
実施場所		学校の余裕教室、学校敷地内、児童館、公的施設など
事業内容		・放課後児童の健康管理、安全確保、情緒の安定 ・遊びの活動への意欲と態度の形成 ・遊びを通しての自主性、社会性、創造性を培うこと ・放課後児童の遊びの活動状況の把握と家庭への連絡 ・家庭や地域での遊びの環境づくりへの支援 ・その他放課後児童の健全育成上必要な活動

（厚生労働省 「令和 2 年放課後児童健全育成事業（放課後児童クラブ）の実施状況」を参照し筆者作成）

利用児童の傾向の変化や、実施事業形態の多様化もみられるようになり、指導員の質の確保のために 2015 年 4 月より指導員に対する専門資格の「**放課後児童支援員**」が新たに創設された。指導員が改めて、専門的な研修を受けることで、知識・技能共に向上し、児童への指導が安定して行われることを目的としている。

(2)「放課後児童クラブ運営指針」の策定

2012 年に改正された児童福祉法に基づいて、厚生労働省では 2014 年 4 月 30 日に「**放課後児童健全育成事業の設備及び運営に関する基準**」を策定した。さらに 2007 年に策定された「**放課後児童クラブガイドライン**」を見直し、「**放課後児童クラブ運営指針**」を新たに策定し、国として放課後児童クラブに関する運営および設備についてより具体的な内容を定めた（2015 年 4 月 1 日より適用）。

放課後児童クラブには、年齢や発達の状況が異なる子どもを同時にかつ継続的に育成支援を行う必要があること、安全面での管理が必要であること等から、支援の単位（おおむね 40 人）ごとに 2 人以上の放課後児童支援員をおかなければならないとされている。ただし、そのうち 1 人は、補助員に代えることができる。対象児童については、法改正にともない保護者が労働等により昼間家庭にいない「おおむね 10 歳以下の児童」から「小学校に就学している児童」と改まり小学 6 年生までが対象児童に含まれるようになり、その結果対象、高学年へのより細やかな対応等が求められるようになった。

対象年齢の範囲が拡大されたが、待機児童問題もある放課後児童クラブの現状の対策としても厚生労働省と文部科学省の打ち出した「放課後子ども総合プラン」には期待が寄せられた。「放課後子ども総合プラン」は、厚生労働省管轄の放課後児童クラブと文部科学省管轄の**放課後子供教室**を一体化または連携させ、学校施設（主に学校の空き教室）を活用して待機児童問題を解消する計画として進められた。「子ども・子育て支援法」施行にともない、放課後児童クラブの量的・質的な拡充が必要とされ、国の制度の拡充・条件整備の改善が求められた。

また、「放課後児童クラブ運営指針」においても地域との連携は、重要視されている。　放課後児童健全育成事業の役割として「学校や地域のさまざまな社会資源との連携を図りながら、保護者と連携して育成支援を行うとともに、その家庭の子育てを支援する」と明記されており、地域の人材の活用や交流事業なども積極的に行っている放課後児童クラブも多い。

(3) 放課後子ども教室推進事業

　青少年の問題行動の深刻化や地域や家庭の教育力の低下等の課題に対応し、文部科学省では 2004 年度から 2006 年度まで緊急 3 ヵ年計画として「地域子ども教室推進事業」が実施された。具体的には、地域のおとなの協力を得て、学校等を活用し、緊急かつ計画的に子どもたちの活動拠点（居場所）を確保し、放課後や週末等におけるさまざまな体験活動や地域住民との交流活動等を支援するものである。その後、2007 年度より、「**地域子ども教室推進事業**」を踏まえた取り組みとして、国の支援の仕組みを変更した補助事業である「**放課後子ども教室推進事業**」を創設した。

　本事業は、「小学校の余裕教室等を活用して、地域の多様な方々の参画を得て、子どもたちとともに行う学習やスポーツ・文化活動等の取組を支援しています。具体的な活動内容は地域によってさまざまで、各地域で決める」ことを目的としている（文部科学省・厚生労働省「放課後子ども教室について」参照）。事業の主な実施主体は市町村となっており、国は各地域での取り組みに対し支援（予算補助）を行った。

(4) 放課後子ども総合プラン

　「放課後子ども総合プランについて（厚生労働省・文部科学省、2014 年）」によると、共働き家庭等の「**小1の壁**」を打破すると共に、次代を担う人材を育成するため、すべての就学児童が放課後等を安全・安心に過ごし、多様な体験・活動を行うことができるよう、文部科学省と厚生労働省が協力し、一体型を中心とした放課後児童健全育成事業としての放課後児童クラブや、地域住民の参画

第 4 節　子どもの居場所　*129*

を得て、放課後等にすべての児童を対象として学習や体験・交流活動などを行う事業としての放課後子ども教室の計画的な整備等を進めてきた。

　厚生労働省および文部科学省が連携して検討を進め、結果、2014年5月の産業競争力会議課題別会合において、両省大臣名により、放課後児童クラブの受皿を拡大すると共に、一体型を中心とした放課後児童クラブおよび放課後子ども教室の計画的な整備を目指す方針をここに示した。その後「放課後子ども総合プラン」が策定された（厚生労働省・文部科学省、2014「放課後子ども総合プラン連携推進室「放課後子ども教室について」」）。この総合的な支援への取り組みは、2011年度より「**学校・家庭・地域の連携による教育支援活動促進事業**」の創設により、「学校支援地域本部」「放課後子ども教室」「家庭教育支援」など、地域の参画・協力によるさまざまな教育支援として始まり、地域にあるさまざまな力を結集し、学校の内外を問わず、子どもたちの学びを支える仕組みとして、今日地域に定着されつつある。さらに2018年4月に、これまでの放課後児童対策の取組をさらに推進させるため、放課後児童クラブの待機児童の早期解消、放課後児童クラブと放課後子供教室の一体的な実施の推進等による全ての児童の安全・安心な居場所の確保を図ること等を内容とした**新・放課後子ども総合プラン**が策定された。

(5) 学校・家庭・地域の連携協力推進事業

　学校支援地域本部、放課後子供教室、家庭教育支援は、地域住民や豊富な社会経験を持つ外部人材等の協力を得て、社会全体の教育力の向上および地域の活性化を図ってきた。学校支援地域本部を活用し、中学生等を対象に大学生や教員OBなど地域住民の協力による原則無料の学習支援（地域未来塾）も実施された。現在は、学校支援地域本部の体制を基盤として、コーディネート機能の強化、より多くの地域住民等の参画による多様な活動の実施、活動の継続的・安定的実施を目指して、**地域学校協働本部**へと発展した。地域が学校・子どもたちを応援・支援する一方向的な活動から、地域と学校が目標を共有して行う双方向の「連携・協働」型の活動の充実に向けて、取り組みが推進されている。

2020 年 7 月現在、地域学校協働本部は 10,878 本部（18,130 校にて整備）にて実施されている。

(6) 今後の放課後支援

　サービスの水準・種類に対する多様なニーズに対し、民間サービスの参入も著しい。とくにどの事業者も共通して強化している部分は、安全管理についてである。入退出の確認を徹底し、その状況が保護者にメールなどで配信されるシステムや災害時の対策など子どもの安全を考慮した対応がされるようになってきている。従来の放課後児童クラブの機能に加えて、高付加価値型のサービスを提供する民間企業もある。時間延長預かりや、夕食の提供、学習の指導、ダンス・語学・音楽等を習えるプログラムの設定や専門講師の配備、外部の習い事への送迎をするサービスを行っているものもある。さらに、それぞれの事業者の特色を生かして、学習指導を手厚く行うところや、休日の昼食の提供を行うところもある。こうしたサービスを目的に、家に保護者がいる家庭の子どもたちの利用も見られるようになってきた。利用料が高額なものもあるが、サービスの質の高さを求める利用者の需要はあり、民間企業の参入は今後も増加することが予想される。

第 5 節　児童館

1. 児童館の目的

　健全育成が実施される場は、放課後児童健全育成事業だけではない。子どもの放課後の居場所として**児童館**という施設がある。児童館は、児童福祉法の第40条において**児童厚生施設**として規定されている。児童厚生施設である児童館と**児童遊園**は、児童に健全な遊びを与えて、その健康を増進し、または情緒を豊かにすることを目的とする施設である。厚生労働省では、児童館の役割として、以下の項目を挙げている。①遊びを通じての集団的・個別的指導、②母親クラブ等の地域組織活動の育成・助長、③健康・体力の増進、④放課後児童の

育成・指導、⑤年長児童の育成・指導、⑥子育て家庭への相談等。

2. 対象と設置数

　利用することができるのは、18歳未満のすべての児童であるため、乳児から高校生までの幅広い年齢層の児童が対象となっている。2019年10月1日現在、国内の児童館は約4453ヵ所設置されている（令和元年社会福祉施設等調査）。児童館の実施主体は都道府県、指定都市、市町村、社会福祉法人、NPO法人等である。

3. 児童館の設備と職員

　児童館の種類によっても異なるが、基本的な設備は、集会室、遊戯室、図書室および便所を設けることと規定されている（「児童福祉施設の設備及び運営に関する基準」第37条2）。

　職員は、児童の遊びを指導する者をおかなければならない（「同基準」第38条）とされており、**児童の遊びを指導する者**は、教員免許や保育士、社会福祉士等の有資格者をはじめ、大学で社会福祉学、心理学、教育学、社会学、芸術学もしくは体育学を専修する学科の卒業生も該当する。職員が遊びの指導を行うにあたって遵守すべき事項は、児童の自主性、社会性および創造性を高め、地域における健全育成活動の助長を図る（「同基準」第39条）こととされている。さらに、施設の長である館長には必要に応じ児童の健康および行動につき、その保護者に連絡することが義務づけられている（「同基準」第40条）。

4. 児童館の種類

　児童館の種類と機能を「厚生労働事務次官、雇用均等・児童家庭局長通知」を参照し、表5-4に示す。次に児童館種類別の設置数を表5-5に示す。

5. 児童館に求められる役割

　児童館は、地域子育て支援拠点としての役割もあり、平日の午前中は主に地

表 6-3　児童館の種類と機能、種類別設置数

※児童館種類別設置数（2019 年 10 月 1 日現在）

児童館の種類 （設置数）			機能
小型児童館 （2,593カ所）			小型児童館は、小地域を対象として、児童に健全な遊びを与え、その健康を増進し、情操を豊かにすると共に、母親クラブ、子ども会等地域組織活動の育成助長を図る等児童の健全育成に関する総合的な機能を有する施設。
児童センター （1,726カ所）			児童センターは、小型児童館の機能に加えて、遊び（運動を主とする）を通じての体力増進を図ることを目的とする事業・設備のある施設。また、大型児童センターでは、中学生、高校生等の年長児童に対しての育成支援を行っている。
大型児童館			大型児童館は、原則として、都道府県内や地域の子どもたちを対象とした活動を行っている。
	A型 （15カ所）		都道府県内の小型児童館、児童センターの指導や連絡調整等の役割を果たしている。
	B型 （4カ所）		豊かな自然環境に恵まれた地域内に設置され、子どもが宿泊をしながら、自然を生かした遊びを通じた健全育成活動を行っている。そのため、宿泊施設と野外活動設備がある。
その他の児童館 （115カ所）			それぞれ対象地域の範囲、特性及び対象児童の実態等に合わせたもの。

出典：「厚生労働事務次官、雇用均等・児童家庭局長通知」「令和元年社会福祉施設等調査」を参考に筆者作成

域の乳幼児と母親対象の子育てイベントを行ったり、母親クラブ等の助長を行い、子育て中の親子の交流や育児相談、情報提供なども実施している。午後になると、下校時間の早い低学年児童から先に来館し始め、各々好きな部屋で好きな過ごし方をしている。図書館で本を読む子、遊戯室で卓球をする子、外でドッジボールをする子、工作をする子、学校とは違う空間の中でのびのびと遊ぶ子どもたちの姿が児童館では見られる。児童館職員には、遊びを通して子どもたちを支援する中で、子どもと子育て家庭が抱える可能性のある問題の発生を予防・早期発見に努め、専門機関と連携し、適切に対応することが求められる。

　児童館の中には、規定されている基準の設備の他に、特色ある設備を持つ児

童館もある。料理教室ができる調理室を備えたところや陶芸ができる陶芸窯を備えているところもある。その他に、季節ごとのイベント等も児童館ごとに工夫を凝らして開催している。

　ボランティアの活用も推進されており、地域の中高年層のボランティアの受け入れや、児童館利用者OB・OGである高校生・大学生のボランティアを積極的に受け入れている児童館もある。ボランティアを含む地域組織育成の役割も児童館には期待されている。児童や保護者の支援に職員だけで対応することは困難であり、子どもたちが育つ地域の環境をよりよくしていくためには、地域住民を巻き込んだ展開が必要である。

6. 中・高校生の利用者

　中・高校生の利用者が少ない児童館もあるが、現在、中高生の新たな居場所として、児童館が注目されている。

　中高生の居場所づくりについては、現在、各自治体において積極的な取り組みが始められている。その居場所を通して、中高生をめぐるさまざまな問題の解決の糸口を模索している自治体も多くある。居場所づくり事業は、ただ放課後の「居る場所」を用意するだけではなく、安心できる仲間や支えてくれる地域のおとなとの結びつきも提供できるよう自治体ごとの独自の取り組みが期待されている。

　中高生の居場所づくりの拠点には、公民館や学校、児童館なども使われている。東京23区の中でも、特定の児童館を中高生向けに改築して、開館時間を延長し、プログラムも大幅に中高生向けに修正している区も年々増加している。中には、運営会議にも中高生が参加し、意見を出して、イベントなどの企画運営を行っている児童館もあり、中高生の主体的なかかわりによる活性化もみられている。

第 **6** 節　ボランティア・NPO・民生委員

1. ボランティア

　ボランティア活動は、さまざまな定義があるが文部科学省の定義では「ボランティア活動は個人の自由意思に基づき、その技能や時間等を進んで提供し、社会に貢献すること」であり、ボランティア活動の基本的理念は、「自発（自由意思）性、無償（無給）性、公共（公益）性、先駆（開発、発展）性にある」としている。

　現在、生涯学習の分野でもボランティアは重要視されており、地域におけるボランティア活動の育成支援は各自治体でも積極的に取り組まれている。そうした支援においては、ボランティアの自主性、自発性を尊重することを前提とし、青少年から高齢者まであらゆる層の人々が、無理なく継続的に参加できるよう留意し、参加の意義・やりがいが実感できるような活動の展開が求められている。こうした活動は地域での人々のつながりの強化を促す機能も持っており、ボランティアを通して地域住民のつながりを再構築し、支え合う体制の実現を目指している。

2. NPO（民間非営利団体）

　NPO とは、「Non-Profit Organization」または「Not-for-Profit Organization」の略称で、さまざまな社会貢献活動を行い、団体の構成員に対し、収益を分配することを目的としない団体の総称である。収益を目的とする事業を行うこと自体は認められるが、事業で得た収益は、社会貢献活動に充てねばならない。このうち、特定非営利活動促進法に基づき法人格を取得した法人を、「**特定非営利活動法人（NPO 法人）**」という。

　1998 年に**特定非営利活動促進法（NPO 法）**が施行された。この法律は、特定非営利活動を行う団体に法人格を付与すること並びに運営組織および事業活動が適正であって公益の増進に資する特定非営利活動法人の認定に係る制度を設けること等により、ボランティア活動をはじめとする市民が行う**自由な社会貢**

献活動としての特定非営利活動の健全な発展を促進し、もって公益の増進に寄与することを目的としている。

NPO法人を設立するためには、所轄庁に申請をして設立の「認証」を受けることが必要。認証後、登記することにより法人として成立する。法人格を持つことによって、団体に対する信頼性が高まることや継続的に事業が存続しやすくなるというメリットがある。2021年7月末現在の認証NPO法人は、5万841件となっている。さらに、実績判定期間において一定の基準を満たし、所轄庁の「認定」を受けた法人は、認定特定非営利活動法人（認定NPO法人）となり、税制上の優遇措置を受けることができる。

特定非営利活動とは以下の20種類の分野に該当する活動であり、不特定かつ多数のものの利益に寄与することを目的とするものである。

①保健、医療または福祉の増進を図る活動
②社会教育の推進を図る活動
③まちづくりの推進を図る活動
④観光の振興を図る活動
⑤農山漁村または中山間地域の振興を図る活動
⑥学術、文化、芸術またはスポーツの振興を図る活動
⑦環境の保全を図る活動
⑧災害救援活動
⑨地域安全活動
⑩人権の擁護または平和の推進を図る活動
⑪国際協力の活動
⑫男女共同参画社会の形成の促進を図る活動
⑬子どもの健全育成を図る活動
⑭情報化社会の発展を図る活動
⑮科学技術の振興を図る活動
⑯経済活動の活性化を図る活動
⑰職業能力の開発または雇用機会の拡充を支援する活動
⑱消費者の保護を図る活動
⑲前各号に掲げる活動を行う団体の運営または活動に関する連絡、助言または援助の活動
⑳前各号に掲げる活動に準ずる活動として都道府県または指定都市の条例で定める活動

3. 民生委員

民生委員とは、それぞれの地域において、常に住民の立場に立って相談に応じ、必要な援助を行い、社会福祉の増進に努める者である。社会奉仕の精神を持つことや社会福祉の増進に努めることはボランティア活動と同様だが、民生委員は「**民生委員法**」という法律に基づいて地域に配置されて以下のような職務を遂行する。

①住民の生活状態を必要に応じ適切に把握しておくこと。

②援助を必要とする者がその有する能力に応じ自立した日常生活を営むことができるように生活に関する相談に応じ、助言その他の援助を行うこと。

③援助を必要とする者が福祉サービスを適切に利用するために必要な情報の提供その他の援助を行うこと。

④社会福祉を目的とする事業を経営する者又は社会福祉に関する活動を行う者と密接に連携し、その事業又は活動を支援すること。

⑤社会福祉法に定める福祉に関する事務所その他の関係行政機関の業務に協力すること。　　　　　　　　　　　　　　　　　　　　　　（民生委員法第14条）

つまり、民生委員は地域住民の抱えるさまざまな課題（子育て、不登校、いじめ、虐待、高齢、障がい、介護、孤立、安全等）への相談・助言・援助を行い、必要に応じて専門機関へとつなげていくことが主な職務となっている。民生委員の**委嘱方法**は、市町村の民生委員推薦会から社会福祉に対する理解と熱意があり、地域の実情に精通した者として推薦された者について、地方社会福祉審議会の意見を聴いて都道府県知事が推薦し、厚生労働大臣が委嘱する。民生委員に給与は支給されず、任期は3年で、再任も可能である。また、民生委員は「**児童委員**」も兼ねており（児童福祉法第16条）、児童委員は、子どもたちの見守りや、子育てに関する相談・支援等を行う。また、一部の児童委員は児童に関することを専門的に担当する「**主任児童委員**」の指名を受ける。

児童委員の職務は以下のようになっている。

①児童および妊産婦につき、その生活および取り巻く環境の状況を適切に把握しておくこと。

②児童および妊産婦につき、その保護、保健その他福祉に関し、サービスを適切

に利用するために必要な情報の提供その他の援助および指導を行うこと。

③児童および妊産婦に係る社会福祉を目的とする事業を経営する者または児童の健やかな育成に関する活動を行う者と密接に連携し、その事業または活動を支援すること。

④児童福祉司または福祉事務所の社会福祉主事の行う職務に協力すること。

⑤児童の健やかな育成に関する気運の醸成に努めること。

⑥その他、必要に応じて、児童および妊産婦の福祉の増進を図るための活動を行うこと。

第7節　世代間交流

1. 世代間交流とは

現代の子どもたちにおける問題点として生活経験の少なさや社会性のなさが指摘されている。それには、世代を超えた交流の減少が1つの原因として考えられる。日本では元来、世代を超えた交流は自然に行われてきた。第二次世界大戦以前、農村では昔話であれば家族単位、祭りなどの芸能であれば地域単位で継承されてきた。伝え合う中で、自然な交流が行われ、おとなたちは伝える喜びがあり、子どもたちは習いながら常に見守られているという安心を感じつつ、成果を上げて一人前として認められることを目指して努力し、成長を遂げてきた。こうした慣習が各地で見られた。

本節では、こうした世代間交流が現在注目されるようになった背景から、世代間交流の現代における意義について述べていく。

まず本節のテーマである「世代間交流」の定義をみていく。日本世代間交流協会初代会長の草野篤子は、「世代間交流とは、子ども青年、中・高年世代の者がお互いに自分たちの持っている能力や技術を出し合って、自分自身の向上と、自分の周りの人々や社会に役立つような健全な地域づくりを実践する活動で、一人一人が活動の主役となることである」と定義している（草野、2004）。日本も加盟している国際世代間交流協会（the International Consortium for Intergenerational Programs：ICIP）では、「世代間交流プログラム」は「高齢者と若者世代の間に、意図的で継続的な資源交換と相互学習のための対話を創造する社

会的手段」（草野訳、2006）であると定義している。「世代間交流」は概念の使われ方が多様であり、草野の定義では補いきれないのも現状としてある。草野の定義を受けて、小笹奨は世代間交流において期待されることを、「交流する双方それぞれが何らかの価値を、交流を通して実現することである。それらの価値は、交流のねらいや意図と、どのような交流活動を行うかという交流の内容によって異なってくる」（小笹、2004）と述べ、交流者の実現できる価値は交流内容によって変わってくると言っている。現在は日常用語としては使用されていても定義づけされていることは少なく、「世代間交流」については、草野の定義が主に使用されている。「交流」と言っても、交流の程度や交流者の組み合わせによって同じ世代間交流でも持つ目的が変わる。 現在の日本では、「子ども（小学生）と高齢者」の組み合わせの活動が多い。「子育て支援」対策に力を入れている国の流れに乗り、幼児保育に高齢者や学生（主に大学生）を参加させて世代間交流を図ろうとする動きも多くなっている。

　次に、かつて日本において世代間交流が自然と生活の中で行われていた時代の様子について述べていく。

2. 日本における世代間交流

　1940 年に**柳田国男**は、「男女共に人が誰でも生きていく上で通過し、経験していく大切なこと、青年となり結婚し、社会人となり子の親となる心構えを現在は教える場がない。かつては家庭で、村で自然に身につけたことが学校ではもちろん教えないし、家庭でも教えられなくなっている」と述べ、家庭機能の低下や地域における子どもの成長を促す機能の低下を危惧していた。子どもの育ちには家庭や学校だけではなく、かつて村の中で行われていたような交流の中で、周囲のおとなたちとの関係を築く必要性を当時から訴えていたのである。

　ここで、近代以前のわが国における子どもを取り巻く環境は、具体的にどのようなものであったのか、文献から見ていく。『日本民族文化大系』の中で、母親の仕事と子育て環境についてこのように記述されている。「若い母親にとっては、育児も祖母主導であったから、子どもたちは当然祖父母の影響を強く

受けて育つ。祖孫伝授で、祖父母から伝承されるものが大きい。（中略）年寄りのいる家では、嫁は野良へ出るので、幼い子どもはほとんど『じいさんばあさん子守り』で、子守りは、年寄りの役目の一つであったが、母親の働く場所は家からそう離れていないので、母親も乳を飲ませに帰ったり、あまりむずかれば年寄りがおぶって母親のところへ連れていくこともできる。学童になればおやつを野良で母たちといっしょに食べる楽しみもある。母親の職と住が近いこと、これがどれだけ子どもにとって救いであったか。また、近所のおじさんやおばさんたちがきて、あやしたり、遊んでくれるという、子どもをとりまく環境を農村は持っている。このあたりが、同じ共働きでも現在の都市の職と住が遠く切り離されている共働きと、大きく違うところである」（大藤、1985）。

　この当時の母親の状況と共働きで就業している現代の母親の場合とは、親が子どもを見ている時間に大差はないが、親以外のおとなたちが子どもを見守る環境が整っていた。現在は、社会構造の変化により出産後の女性が就業する場合は、祖父母や近隣のおとなに代わり、大半は教育や保育サービスが主流となっている。かつて存在した大切な地域資源は、縮小されつつある。また、子どもの遊びに関する記述では、「近代以前の社会では、子どもは特別の存在とはみなされておらず、おとなの世界から隔離して保護されることもなかった。したがって、日頃から、おとなの仕事ぶりや生活ぶりを見聞きし、それをまねる機会に子どもは恵まれていたといえる。早くからおとなの世界に立ち入り、小さなおとなとして子どもは生活していたのである」（飯島、1985）と記されている。おとなの働く姿をそばで見て育ち、自然な世代間の交流があり、そこから周囲のおとなへの尊敬や感謝の気持ちなども芽生えていった。子どもたちは自然と身近にいるおとなの姿を自分の将来のモデルとして、努力するようになっていたであろう。現代人の多くの生活スタイルは、職と住が切り離されている。これはとても気軽なようではあるが、子どもにとって親や周囲のおとなが働く姿を間近で感じることができる環境の中で育つということも、大きな意義があったように思う。

　文部科学省は全国の中学・高校で推進してきた職場体験を「このような職業

にかかわる体験は、ともすれば『働くこと』と疎遠になりがちであった学校教育の在り方を見直し、今、教育に求められている学ぶことや働くこと、生きることの尊さを実感させる具体的な実践の場」と位置づけており、勤労観、職業観の育成や、自己の将来に夢や希望を抱き、その実現を目指す意欲の高揚を図る教育の必要性を述べている。

　生活する地域内の関係が希薄になったと言われている昨今、核家族化が進行していることも影響し、未就学児を育てている母親が孤立した環境に陥りがちになっている。虐待発生の背景には、様々な要因の重なりがあると考えられているが、このような母親の孤立化を地域の子育て支援や、住民の見守り等により解消していくことが、虐待の未然防止、または早期発見につながると考えられる。児童虐待に関する相談対応件数は年々増加しているが、これは虐待件数の単純な増加だけではなく、地域住民の虐待問題への関心・認知度の高まりによる通報が増えたことも関係している。「他の家族の問題」ではなく、「社会全体で子どもを見守ろう」という意識が少しずつではあるが、各地域に根づいてきていることのあらわれではないだろうか。

　虐待問題に限らず、子育て家庭への支援は公によるものが最重要だが、地域住民による支援への期待も現在高まってきている。現代の児童と家庭を取り巻く、様々な福祉的課題を解決していく上で、地域関係の再構築は不可欠となっている。子育てを、その家庭だけの問題としてとらえるのではなく、子どもの健全な育成を地域全体で支える仕組みづくりが求められている。地域、民間、自治体、国の全てが一体となり、わが国の子育て支援体制を整えていくことが児童福祉と地域福祉の急務の課題である。

　本章のまとめとして、かつて日本において自然に行われてきた世代間交流は、高度経済成長とともに衰退してしまっていたが、現在はその価値が見直されさまざまな分野での必要性が高まってきている。前述の「地域子ども教室推進事業」によってどの自治体も手探りで事業を開始した。しかし始められた活動の中には、活動組織自体が安定しないものが数多くあり、世代を超えた交流を目的とした催し等も初めからうまくいっていた活動はそう多くはなかった。交流

Column ④　地域活動事例を通してみる連携

　子どもたちを取り巻く環境がめまぐるしく移り変わるなかで、地域における子どもの居場所はどのように確保されていくべきなのだろうか。ここでは、地域住民による活動事例から地域子育ての連携をみていく。世田谷区内に 2003 年から始まった青少年地区委員会が主体となって運営する「子どもぶんか村」という活動がある。この活動の構成は①子ども（参加対象は青少年船橋地区委員会管内 4 つの区立小中学校を中心にした地域のすべての小・中学生および高校生）②スタッフ（親・一部前期高齢者を含む地域のボランティア）③講師（地域の協力者、学校の先生、保護者、地域住民の紹介によるボランティア）④高齢者を構成員として直接・間接的にかかわりあっている総勢約 300 人である。

　この活動は、地域ボランティアに支えられながら、学校の施設、区民集会所および児童館において、子どもたちにさまざまな体験を提供している。子ども喫茶の「ひまわりくらぶ」から始まり、2005 年からは 6 つの「くらぶ」が本格的に開始された。2021 年現在は、9 つのくらぶ（音楽〈オーケストラ、コーラス〉、演劇、伝統〈茶道、いけ花、かるた会〉、ものづくり、科学、ボランティア）が活動しており、スタート時から 18 年が経ち、活動は安定しながらも新たな展開をみせている。

　「子どもぶんか村」の目的は①学校では取り組みにくい体験ができる場および好きな学習をさらに深める場にする。②子どもたち自身が大切な存在であると自分で感じることができる場にする。③子どもたちの持っているよさや力を自分で発見し、お互いのよさに気づきながら、他者とのかかわりの大切さを学ぶ場にする。④子どもたちの成長を、地域で共に喜び合える豊かなまちづくりの拠点とする。としており、子どものための活動ではあるが、そこにかかわった人のすべてが地域の子どもの育成に携わることの喜びを知ること、そして、そこで得られた人とのつながりが地域全体を豊かにしていくことも目的の中に含まれている。

　子どもたちは、楽しみながら参加しているうちに家族以外のいろいろな世代のおとなや子どもたちとの交流が自然に始まり、仲間と思えるような信頼関係を築いていく機会を得ている様子がしばしば活動の中でも見られた。この活動に携わった子どもやスタッフたちは、今後も地域内での他の活動に携わっていくことが予想される。この地域でのまちづくりにさまざまな世代が積極的にかかわり、地域の生活福祉の充実につながっていくのではないかと考える。さまざまなかたちの交流が家庭から地域そして日本の社会に根づくことが期待される。こうした事例研究は特に地域福祉の分野では重要な意味を持ち「地域連携」「世代間交流」についてもここ数年程、関心が高まってきているワードではあるが、実施については多くの課題もあり、事例ごとの地域の特性も考慮しながら研究していく必要がある。

するそれぞれの世代の特性を熟知した人材がいなかったり、互いの世代の交流内容に対するニーズが合わない等の課題が生じていた活動もあった。試行錯誤しながらもゆるやかな交流が少しずつでも形成され、これをきっかけとして世代を超えたつながりが地域の中で発展していくことで、地域におけるそれぞれの世代の孤立による課題の解決につながっていくことが望まれる。

【引用・参考文献一覧】

・大藤ゆき「家と女性」『日本民族文化大系』10、小学館、1985、pp.400-409
・飯島洋文「家と女性」『日本民族文化大系』10、小学館、1985、p.283
・柳田国男「主婦の歴史」『新女苑』4（11）実業之日本社、1940、p.191
・草野篤子「インタージェネレーションの必要性」『現代のエスプリ』7、至文堂、2004、p.19
・草野篤子「日本における世代間交流の歩みと今後の展望」『社会教育』3、全日本社会教育連合会、2006、p.58
・小笹奨「インタージェネレーションの基本」『現代のエスプリ』7、至文堂、2004、p.47
・秋山展子「世代間交流に寄せる地域の期待」小堀哲郎編著『地域に生きる子どもたち』創成社、2014、pp.88-108
・秋山展子「母子保健と健全育成」林邦雄・谷田貝公昭監修『新版 児童家庭福祉論』一藝社、2015、pp.91-102
・秋山展子「青少年健全育成事業の事例からみる中高生の居場所対策の研究」『秋草学園短期大学紀要』第31号、2015、pp.143-155
・秋山展子「児童家庭福祉」井村圭壯・今井慶宗『社会福祉の基本体系（第5版)』勁草書房、2017、pp.77-86
・内閣府「内閣府NPOホームページ」https://www.npo-homepage.go.jp/、2017年9月30日、（2017.10.05閲覧）

Chapter

7

生涯学習と市民参加

第 1 節　個人の生涯を輝かせる学習のために

　私たちは子どもの頃から自然と「教育」を受けているが、実は「教育とは何か」と問われると、よくわからなくなる。それは、学校教育だけを見て、教育を語ろうとしているからではないだろうか。教育とは、学校以外にも家庭、地域、職場、社会のさまざまな身近なところで、人が生きる上での大切な側面を扱ってきた活動である。それらの教育の中心にいる個人は、時には教育に疑問を感じ、時には教育を受けとめて成長する。

　青少年について見てみると、彼らが自らの考え方を確立し、社会にどうかかわるか、ポジショニング（位置決め）支援が求められている。その他、われわれの調査研究からは、1人で生き、1人で課題を解決するという**個人完結型**から、個人は社会のかかわりを大切にする**社会開放型**に転換することが大事だということもわかってきている。こうしたテーマにも触れながら、教育とは何か、生涯学習とは何かという本質に接近していきたい。

144

1. 主体的な学習とは

　学習を「**楽習**」、教育を「**共育**」と呼ぶことがある。「楽習」とは楽しく習うことで、「共育」とは共に育つことである。**教授＝学習過程**の中の相互関与から進んで、社会教育においては「**教える人は学ぶ人、学ぶ人は教える人**」という双方向教育にまで発展する。それは、生涯学習の「学び合い・支え合い」の源泉になる。

　このような「楽習」と「共育」は、社会のあらゆる場所で行われている。それは、個人を充実させるためであり、充実した個人によって、社会を発展させるためである。そこでは、個人の自由と主体的な自己決定が尊重される。しかしながら、現代は、流動化、不透明化、個人化の中で、個人を不安に陥れる時代だといわれる。メディアによる情報過多、ネットによる虚偽の情報の氾濫、SNS における「つながり」への不安、そして、自発的、選択的な集団としての「コミュニティ」の中での緊張など、個人が主体的に自由を使いこなすためには、困難も多いことは知っておかなければならない。**個人化社会**においては、交友関係が自発的、選択的だからこそ、リスクも大きいのである。

　地域や職業の場で行われる教育を社会教育と呼ぶ。学校は、家庭や社会教育と連携して、効果的な教育を進めることを心がけなければならない。また、学校は、生徒・学生が卒業後も生涯にわたって学習ができるよう、生涯学習の基礎・基本を育てなければならない。「卒業したら、勉強しなくてすむ」と思わせるようだったら、生涯学習時代の学校教育としては失敗である。学校教育は、「**生涯学習の基礎づくり**」の役割として、家庭教育・社会教育と共に生涯教育の重要な一環を占めるものとしてとらえる必要がある。

　生涯学習では、「**学びたいことを学びたい手段で学ぶ**」という学習者の主体性が重視される。「学びたい」ことの理由としては、先に述べた「学ぶのが楽しいから」ということと共に、「役に立つから」ということ、すなわち有用性が挙げられる。

　学校でも、基礎・基本を体系的に教えると共に、生涯学習と同様に「いま学んでいることは役に立つ」という確信、すなわち「**有用感**」を与えることが重

第 1 節　個人の生涯を輝かせる学習のために　*145*

要になる。そして、「役に立つ」は、身の周りの他者、より広い他者、職業、社会などで役に立つということでもある。それは、自分がこの社会で生きていてよいのだという自己肯定感や、自分の存在を社会の中で位置決めして、自己発揮しようとする意欲にもつながる。

そして、人間には、これらの「理由」を超えたところに、「どこまでも知りたい」という限りなき欲望がある。子どもの頃は、このような好奇心のかたまりであった。それは、おとなになっても失いたくないと思う。「どこまでも知りたいから」は「学びたいこと」の究極の姿である。「自分のために学ぶ」とは、このことを指す。研修を受けたり、授業を準備したりしている時、「子どもたちのためにやっている」という認識があるとしたら、改めた方がよい。「自分のために、学びたいことを学ぶ」ということが、あくまでも学習の本質である。研修や学習は、義務ではなく主体的な権利として受けとめたい。

ここで、改めて「主体」というキーワードについて考えてみよう。主体とは**「認知、行為、評価する我（われ）」**であり、「主体性がある」ということは、そのための能力を持っていることを意味する。教育は、これを目指して行われる。また、人生においても、評価して改善することの積み重ねが、建設的な生き方につながる。

教育とは、学習者の主体性を尊重しながら、主体性の獲得を支援する活動である。そのためには、個性尊重の視点と、社会に開かれた視点の両方を一体的にとらえるものの見方、考え方が必要になる。

2. 教育目標と教育評価──生涯のキャリア形成への学び

試験とか能力評価といった言葉には、点数主義とかデータ主義のように、ある種ネガティブにとらえられることが一般に多い。しかし、仕事に就くと、自分の能力を適正に評価して処遇や配置を決めてほしいと、多くの人が思うようになる。そして、卒業後、能力獲得のため、学び直したり（**リカレント教育**）、仕事に必要な知識・技能を身につけたり（**リフレッシュ教育**）しようとする。これらの学習は、多くの場合、「学びたいから学ぶ」という気持ちで自主的、

自発的に取り組まれる。

　能力とは、人として生きるために必要な力を指している。生きる中で能力を獲得し、能力を獲得することによってよりよく生きることができる。なお、資質は生まれもって備わった能力を指す。能力の種類は、知識（〜を知っている）、技能（〜することができる）、態度（〜の態度がとれる）の３つでとらえることができる。これがそのまま教育目標になる。ただし、教育目標の設定においては、どの程度できるという段階評価ができる表現をする必要がある。学習者がどの程度の位置にいるかということを把握することによって、教育が可能になるのである。

　ここで設定した教育目標について、どのような広がりと順序で学習すればよりよく到達できるかを示した「課程」をカリキュラムと呼ぶ。

　カリキュラムには最終到達目標、つまり到達すべき人間像を示す必要がある。たとえば職業人であれば、それぞれのレベルごとに必要能力と到達像を明示したラダー（「はしご」という意味）を示すことによって、主体的、計画的に自己の職業能力開発に取り組むことができる。一般に生涯学習においては、本人の意思に基づき、独学を除けば指導者のアドバイスを受けながら、学習者自らがどのようなペース、どのような内容で学習するかをプランすることになる。

　次に、教育評価が行われる。教育評価は目標の達成度を測定して、教育の改善に役立たせる「目標管理」のためには欠かせないものである。評価には大きく分けて、**「総括的評価」**と**「形成的評価」**がある。前者は定期テストなどのように終了時に「どこまで到達したか」を示すための評価であるのに対して、後者は、学習過程の途中で、「目標に対して、本人が到達している現在の位置」を示すための評価である。それによって、指導者も学習者も、どのように学習を進めることによって目標に到達できるかという見通しを立てることができる。

　なお、2010 年中央教育審議会（以下、中教審）教育課程部会「児童生徒の学習評価の在り方について（報告）」では、「関心・意欲・態度」の評価に関して、授業中の挙手や発言の回数といった表面的な状況のみに着目するのではなく、「授業や面談における発言や行動等を観察するほか、ワークシートやレポート

の作成、発表といった学習活動を通して評価」するよう提言されている。

教育は、学習者の無限の可能性を信頼し、到達度を評価できる目標を立てて、目標に到達させる活動である。このようにして、教育をポジティブにとらえることが必要である。

第2節　生涯学習の基本理念

1. 職業の場の生涯学習とキャリア支援──学校内外でのケア

社会の形成者を育成するため教育を行う。そこでは、人類が蓄積した価値（役に立つこと）が伝承される。だが、価値は伝承されるだけではなく、新たに創造され、蓄積されることにも注目したい（**価値の伝承と創造**）。

社会には、学校教育のような「**フォーマルエデュケーション（公式な教育）**」のほかに、社会教育のような「**ノンフォーマルエデュケーション（非公式な教育）**」、家庭教育のような「**インフォーマルエデュケーション（私的な教育）**」が行われており、それぞれが、価値の伝承と創造のための役割を果たしている。

また、職場の教育を考えれば、**OJT**（On the Job Training）、**OffJT**（Off the Job Training）が行われている。OJT は日常の業務にかかわる教育のことで、OffJT は業務から離れたところの教育として、人材育成が行われる。また、SelfJT（独学＝自己開発）支援も重要である。

職業人は、過去に学校教育で得た知識は**陳腐化**（古くて時代遅れになること）するので、新しい知識を身につけ、職場特有の課題、時代の変化や、相手の状況、ニーズに合わせて、創意工夫して業務を改善しなければならない。そこには、職場の主人公として働く喜びがある。

教育においては、社会や地域などの視点を持つことが求められている。たとえば保育者であれば、クラスの子どもたちが、保育時間の中だけを充実させるだけでは支援者としての配慮が足りないといわれている。なぜなら、家庭に帰るまで、帰ってからは、どうなのか。地域に戻って、公園では安心して遊べるのか。課題は山積みのはずである。保育者だけの力でどうにかなるものではな

148　第7章　生涯学習と市民参加

いので、地域の人々や諸機関と連携して、このような問題に取り組むことが、今の保育者には求められているのである。

過去に引きこもりをしていて、今は仕事に就こうとして努力している若者に、私が「君にとって社会とはどんなところか」と質問したら、「社会と言われてもピンとこないが、世間ならわかる」と答えた。もう1人の就職後の若者は、「社会に出たら、土砂降りだった」と答えた。あなたなら、どう答えるか。

社会が不安定で見えづらい時代に、社会の形成者として夢を持って生きることはたやすいことではないかもしれない。しかし、次世代を担う若者や支援者として、社会的な視点から自らの活動をとらえることが必要になる。

この課題がとくに象徴的に表われるのが、**不登校**、**引きこもり**、**ニート**（Not in Education, Employment or Training）などの問題である。過去には、学校内外で、これらの若者をどうにかして登校させ、就職させるということだけが「問題の解決」としてとらえられ、「青少年対策」が行われてきたが、今日では、彼らの課題に寄り添い、その多様な社会化を、一個人の人格として尊重しつつ支援するサポートとしての対応が行われるようになってきている。

また、最近では、いわゆる「一流大学」を卒業しても、就活で失敗するという本人にとっては否定的なラベリングを受けることによって自己否定に陥ったり、一流企業に就職しても、短期間で退職して、再就職のための活動ができなくなって引きこもってしまったりするなどの自己肯定感を失った「青年後期」の若者の存在が問題になっている。彼らに対しては、とくに学校外において、本人の職業生活の充実をめざしたキャリア支援の場が、重視される。そこでは、過去の学歴社会の個人完結型の競争に傷ついた若者に対して、生涯学習の共生社会における社会開放型の価値観の転換を促し、ケアの機能によって自己肯定感を養い、社会的視野の拡大と社会における自己の適正な位置決めを支援するという今後の望ましいキャリア教育が求められているのである。

この考え方は、学校で行われるキャリア教育においても、同様に重要になる。個人の生涯にわたる職業生活の充実をめざして、多様で自律的なキャリア形成のための基礎づくりの機会となるよう留意しなければならない。

2. インテグレートの概念：時間的統合と空間的統合

　市民は 1 人の人間として生きている。そして、多くの教育空間に囲まれている。個人を取り巻く教育の空間は、本人の人生を充実させるために力を合わせることが求められる。

　「生涯教育」論は、1965 年、**ポール・ラングラン**（Paul Lengrand）がユネスコ成人教育国際推進会議に提出したものが最初である。生涯教育は、英語では「lifelong integrated education」と表記され、時間的・空間的な「統合（integrate)」の概念が強調される。「時間的統合」とは、「人の誕生から死に至るまでの人間の一生を通じて教育の機会を提供する」という意味である。「空間的統合」とは、「社会の教育的諸機能（学校だけではない）が連携して教育の機会を提供する」という意味である。このことによって、学校を卒業しても、「いつどこだれなに」（いつでも、どこでも、だれでも、なんでも）で学習できる「学習社会」の実現が期待できる。

　ここで「統合」とは、教育サービス側がすべきことを示しているのであって、学習者側の自己決定を侵すものではないということに注意しておきたい。

　半世紀も前の、この「統合概念」は、今日でも重要な視点を提供している。

　たとえばそれは、「**シームレスな子育て支援**」の視点と一致している。子どもの成長や進学などのたびに、支援機関や支援者が変わり、前後の連携ができていないため、子育て支援がブツブツと継ぎ目だらけになって支障をきたす。関係者は、このような状況におかれる子どもや親の心の痛みを感じ取り、シームレスな（継ぎ目のない）子育て支援を心がける必要がある。

　キャリア教育については、「**学校から社会へのトランジション**（移行)」の視点が挙げられる。キャリア教育は、卒業後の自分が社会での位置決めができるよう支援する教育だといえる。だが、学校教育が現実の社会と遊離した存在になっていると、若者が学校という「群れ」（school には群れという意味がある）を卒業していざ「一匹」で社会に飛び出した時、スムーズに移行できないという問題が生ずる。

　これについては、社会に出てからの組織での成功のためには、インターンシ

ップのほか、アルバイト先での異質な他者との出会いなどがよい影響を与えるなどの調査結果が出ている。また、親や教師との「タテの関係」だけでなく、青少年団体活動などにおいてよそのおとなたちとの「**ナナメの関係**」を体験した子どもたちは、社会に出てから成功しているという結果も出されている。

　一人一人にとって大切でかけがえのない「自己の人生」ではあるが、これを充実させるかどうかは本人の自己決定にかかっている。現代は、社会の規制をゆるめて、本人が自己決定できる自由の幅を拡大し、そのかわり結果は本人の責任に帰することを原則とする「個人化社会」である。しかし、そのような自己決定力の育成のためには、社会のさまざまな教育的諸機能が連携し、個人への生涯にわたった持続的なサービスを提供する必要がある。これがなければ、自己決定の自由は、有名無実なものになってしまう。さらには、今日、自己決定能力があっても発揮できない、報われないという事態が見受けられることも忘れてはならない。

　生涯教育論の統合概念は、社会の教育的諸機能・諸問題にまで視角を広げた上で、なおかつ、このように個人の生涯に焦点をあて、社会と個人の両方の視点から考えるという概念であり、さらには、従来の個人をないがしろにする教育システムを抜本的に変えようとする温かみのある教育改革の概念だと考えられる。

3. 「持つため」から「存在するため」、「共に生きるため」の学習への転換

　1968年、**ロバート・ハッチンス**（Robert Hutchins）が「学習社会」論を提起した。そこでは、「学習社会」とは、余暇の増大の中で、職業教育から人間になるための教養教育へという価値の転換に成功した社会とされた。

　1973年、ユネスコ教育開発国際委員会は『存在するための学習（Learning to Be)』（通称「フォール・レポート」）を発表した。これは、財産、知識、地位、権力などを「持つための学習」（to have）から、自己の能力を能動的に発揮する「存在するための学習」（to be）への転換を主張した。

一方、OECD（経済開発協力機構）においては、1973年、「リカレント教育：生涯学習のための戦略」が提唱された。これは、近年の技術革新の著しい進展や産業構造の変化などに対応して、学校での社会人再教育を行うことである。また、とくに職業人を対象として高等教育機関が実施する職業指向のリカレント教育については、リフレッシュ教育と呼ばれる。

　1985年、ユネスコ国際成人教育会議は、「学習権宣言」を発表した。それは次のとおり宣言する。「学習権はたんなる経済発展の手段ではない。それは基本的権利の１つとしてとらえられなければならない。学習活動はあらゆる教育活動の中心に位置づけられ、人々を、なりゆきまかせの客体から、自らの歴史をつくる主体にかえていくものである。それは基本的人権の１つであり、その正当性は普遍的である。学習権は、人類の一部のものに限定されてはならない。すなわち、男性や工業国や有産階級や、学校教育を受けられる幸運な若者たちだけの、排他的特権であってはならない」。

　ここでは、「余暇の増大」の中で、「職業教育から人間になるための教養教育へという価値の転換」を目指した当初の学習社会論のニュアンスが変わりつつあることに注目したい。生涯学習は、余暇の活用というよりも、人類が、食糧危機、貧困、差別、戦争、環境破壊を乗り越えて進むための必須の権利として位置づけられたのである。

　1996年、ユネスコ21世紀教育国際委員会は、「学習：秘められた宝」（通称「ドロール・レポート」）を発表した。ここでは、「知ることを学ぶ」(learning to know)、「為すことを学ぶ」(learning to do)、「人間として生きることを学ぶ」(learning to be)、「共に生きることを学ぶ」(learning to live together) という四本柱が提起された。ここでは、Have のための学習から、Be のための学習へ、さらには With (Live Together) のための学習へという発展を見ることができる。個人の「知る」から「為す」への統合的発展とともに、「人間として生きる」から「共に生きる」へと社会での共生としての発展が、そして、人の充実としての生涯学習と、市民としての社会参加の一体的発展が示唆されているのである。

4. 生涯学習理念を支える社会教育の役割

　1945年の終戦、1947年の教育基本法制定から、戦後の教育改革が始まった。アメリカを中心とする連合国軍最高司令官総司令部（GHQ）占領下（1951年「サンフランシスコ講和条約」まで）において、ポツダム宣言（日本への降伏要求の最終宣言、1945年）に基づき、「戦中に失われた民主主義の復活強化」が行われた。

　教育基本法では、第1条の教育目的の条文に、「人格の完成」と共に「国家及び社会の形成者」としての育成が述べられている。個人としての充実と社会人としての充実の一体的進展は、当初から教育政策の根幹であったことに注意しておきたい。

　ここで、同法第7条「社会教育」について見ておきたい（生涯教育という言葉は、この頃には存在していない）。そこでは、「家庭教育及び勤労の場所その他社会において行われる教育」について、国および地方公共団体によって奨励されなければならないと、定義ではなく「場」と行政の「奨励」の役割が定められ、「図書館、博物館、公民館等の施設の設置、学校の施設の利用」など、国および地方公共団体が自ら社会教育を行う場合の方法が示された。

　社会教育法（1949年）第2条では、社会教育とは「学校の教育課程として行われる教育活動を除き、主として青少年及び成人に対して行われる組織的な行政を教育活動（体育及びレクリエーションの活動を含む）をいう」とされている。そこでは、社会教育とは正規の学校教育以外の組織的な教育活動であることが示されている。

　第3条では、行政は「すべての国民があらゆる機会、あらゆる場所を利用して、自ら実際生活に即する文化的教養を高め得るような環境を醸成する」として、行政は国民の自主性のもとに「環境醸成」の役割を担うとされた。

　また、第5条は、国や都道府県ではなく、市町村の教育委員会が、このような社会教育行政の中心的役割を担うこと、その方法も、公民館等の社会教育施設の提供を中心に行うことの根拠となった。

　戦後、人々は、戦争でなくした故人をしのびながらも、公民館で楽しく語らいながら、今後の民主主義に向けて学び、地域づくりを進めてきた。そこでは、

「新生活運動」として、結婚式の出費で生活が苦しくなってしまう状態を改善するため、公民館で会費制の結婚式を挙げたり、かまどの低さによって腰が曲がってしまうのを避けるために、かまどの位置を高くしたりするなどの生活の改善が、明るくたくましく行われてきた。

　戦後日本の社会教育は、当初から、単なる成人教育ではなく、「社会をつくる」ことを意識した教育であり、公民館は単なる集会場ではなく、「公民として公共を担う」ことを意識した教育機関であった。これは国際的に見ても、日本独自のユニークなシステムだといえる。しかも、独立性や研修権などを制度的に一定程度保障された社会教育主事などの専門職制度もともなってきた。

　このような特徴を持った社会教育は、のちに出現する生涯教育の推進にとって重要な役割を果たすことになる。すでに述べたように、生涯教育とは、学校教育・社会教育・家庭教育などの社会のあらゆる教育機能が統合された姿を指す。戦後から一貫して、国民の自主性のもとで、住民の課題を総合的、横断的に受けとめて進められてきた社会教育が、時間的・空間的統合をキー・コンセプトとする生涯教育推進のための中核を担ってきたのは、ある意味、当然だったといえる。

　しかし、これから見るその後の経過において、生涯学習の推進が、学校教育を含めた大きな流れになっているのに対して、社会教育については、若者層などからそっぽを向かれ、社会教育の中枢的な存在である公民館も、とくに都市部では減少傾向が見られる。

　このことは、時代が社会教育を必要としなくなったからではなく、時代の課題を把握して、これに対応しようとする取り組みが十分ではなかったからではないだろうか。社会教育は、人々の暮らしと仕事、さらには子育て、まちづくりなどの課題を受けとめ直すことによって、これからも社会のさまざまな教育の中核的役割を担わなければならないといえよう。

5.　学校中心の教育観からの脱皮と生涯学習体系への移行

　以下、わが国の生涯学習推進理念の流れを概観する。そのほか生涯学習推進

理念に関する論考を、著者のウェブサイトに掲載しているので参照していただきたい（http://mito3.jp）。

1966 年、中教審答申「後期中等教育の拡充整備について」は、学校中心の教育観にとらわれて社会の諸領域における一生を通じての教育という観点を見失ったり、学歴という形式的な資格を偏重したりすることをやめるよう提言した。

1971 年、社会教育審議会答申「**急激な社会構造の変化に対処する社会教育のあり方について**」が出された。そこでは、家庭教育、学校教育、社会教育の三者の有機的役割分担、人々の生涯にわたる学習を支える多様な機会と場を提供する社会教育の役割などについて、生涯教育の観点から体系化を図ることが提唱された。同年、中教審が、生涯教育の観点から全教育体系を総合的に整備すべきことを指摘した。

1981 年、中教審答申「**生涯教育について**」は、生涯教育の観点から、家庭教育、学校教育および社会教育の各分野を横断して教育を総合的にとらえるよう提案した。ここでは、「国民一人一人が充実した人生を送ることをめざして、生涯にわたって行う学習（生涯学習）を支援するために、（学校教育を含む）教育制度全体が生涯教育の考え方に立つべき」とされた。生涯教育は生涯学習を支援するものと位置づけられたのである。その上で、生涯学習については、「今日、変化の激しい社会にあって、人々は、自己の充実・啓発や生活の向上のため、適切かつ豊かな学習の機会を求めている。これらの学習は、各人が自発的意思に基づいて行うことを基本とするものであり、必要に応じ、自己に適した手段・方法は、これを自ら選んで、生涯を通じて行うものである。その意味では、これを生涯学習と呼ぶのがふさわしい」と定義した。自主性、自発性、自己決定の原則が、再確認されたものととらえられる。

さらに同答申で、「**学歴社会から学習社会への転換**」が提言された。これは、「個人が生涯の比較的早い時期に得た学歴を過大に評価する学歴偏重の社会的風潮を改め、広く社会全体が生涯教育の考え方に立って、人々の生涯を通ずる自己向上の努力を尊び、それを正当に評価する」という学習社会への転換を提言し

たものである。

　1985 年、臨時教育審議会（以下、臨教審）第 1 次答申は、個性重視の原則を挙げ、生涯学習体系への移行を訴えた。「個性重視」はその後の審議でも中心課題であり、1987 年、最終答申である第 4 次答申では、教育の基本的在り方と視点として、①個性重視、②生涯学習、③国際化、情報化等の変化への対応を提示した。90 年代の教育政策は、この考え方に大きな影響を受けながら展開する。

　1989 年には、臨教審の影響を強く受けた学習指導要領の改定が行われた。そこでは、「**自ら学ぶ意欲**」などの「**新しい学力観**」が打ち出された。これは「学歴社会」の「記憶する教育」から、「学習社会」に求められる「自ら学ぶ教育」への転換を示したものである。

　このような学校中心から生涯学習体系への移行の流れの中で、1990 年、「生涯学習の振興のための施策の推進体制の整備に関する法律」（略称「生涯学習振興法」）が成立した。

　1992 年には、生涯学習審議会答申「今後の社会の動向に対応した生涯学習の振興方策について」は、①リカレント教育の推進、②ボランティア活動の支援・推進、③青少年の学校外活動の充実、④**現代的課題に関する学習機会**の充実の 4 課題を提示した。ここで現代的課題とは、社会の急激な変化に対応し、人間性豊かな生活を営むために、人々が学習する必要のある課題であり、地球環境の保全、国際理解等の世界的な課題をはじめ、高齢化社会への対応、男女共同参画型社会の形成等が例示されている。

　1996 年、生涯学習審議会答申「地域における生涯学習機会の充実方策について」は、「**学社融合**」の理念を示した。従来、学校教育と社会教育との連携・協力については、「学社連携」という言葉が使われてきたが、「学社融合」は、そこから一歩進んで、学習の場や活動など両者の要素を部分的に重ね合わせながら、一体となって子どもたちの教育に取り組んでいこうという考え方だとされた。

　1998 年、中教審は「新しい時代を拓く心を育てるために——次世代を育て

156　第 7 章　生涯学習と市民参加

る心を失う危機」を答申する。ここで「生きる力」の核となる豊かな人間性として、①美しいものや自然に感動する心などの柔らかな感性、②正義感や公正さを重んじる心、③生命を大切にし、人権を尊重する心などの基本的な倫理観、④他人を思いやる心や社会貢献の精神、⑤自立心、自己抑制力、責任感、⑥他者との共生や異質なものへの寛容などの感性や心が挙げられた。

このように心の問題を大人自身の問題としてとらえた場合、親の子育て学習の必要性と、心に迫る働きかけの難しさが浮かび上がるはずだ。われわれは、子育て支援の課題として、どのように親の心に訴えるようなアプローチをしていけばよいのかということを追求しなければならない。

2000 年から、総合的な学習の時間が段階的に始められた。そのねらいは、「ゆとり教育」の趣旨に基づき、自ら学び自ら考える力などの「生きる力」や、国際化や情報化をはじめ社会の変化に主体的に対応できる資質や能力を育成するために、教科等の枠を超えた横断的・総合的な学習を実施するための時間を確保することである。

他方、国際的には、同年に、OECD による生徒の**学習到達度調査（PISA）**が始まった。2003 年にはわが国の順位が急落し、PISA ショックといわれて、「ゆとり教育」による学力低下への批判が強まった。2005 年には、「文部科学省における国際戦略」（提言）が出された。その後、今日まで、国際競争力の強化のための学力向上を求める声が大きくなっている。

だが、ここで注意しておかなければならないのは、「学力向上」の流れを過去の「学歴社会」の弊害を繰り返すものにしてはならないということである。社会の変化に的確に対応するための「生きる力」は、学力の重要な一環なのである。2018 年度から始まる学習指導要領改訂においても、そのように位置づけられている。「学習社会」の中での「望ましい学力」をわれわれは追求しなければならない。

2013 年の「第 2 期教育振興基本計画」では、「**自立・協働・創造に向けた一人一人の主体的な学び**」を目指し、①社会を生き抜く力の養成、②未来への飛躍を実現する人材の養成、③学びのセーフティネットの構築、④絆づくりと活

第 2 節　生涯学習の基本理念　*157*

力あるコミュニティの形成を基本的方向性として位置づけ、明確な成果目標の設定等を要請した。

また、「生きる力」については、いかに社会が変化しようと、自ら課題を見つけ、自ら学び、自ら考え、主体的に判断し、行動し、よりよく問題を解決する資質や能力など、**「確かな学力」**、**「豊かな心」**、**「健やかな体」**から成る力と規定した。「確かな学力」については、「世界トップの学力水準を目指す」としている。

第3節　生涯学習とキャリア教育の未来像

1. ICT と教育

ICT（Information and Communication Technology：情報通信技術）は、今後の教育活動にとって、大きな影響をもたらすツールになるだろう。

第一に、個人の進路に合わせて「繰り返し」ができるため、**「反転授業」**の有益なツールとなり得る。「反転授業」とは、今まで授業で行っていたことを、自分のペースでネットから学び、授業では個別指導や討論、共同作業などを行うというものである。その単元を完全に理解するまで、いつまでも学べばよいという生涯学習的な考え方に基づいている。そのため、落ちこぼれになることはあり得ないといわれる。学習は本来個人的事象なのに、同じ進度に合わせなければならないという一斉授業の問題を、「反転授業」によって解決できる。

第二に、ネット上での学習者同士の自由な意見交換が行われるため、個人は自分のペースで問題解決と合意形成に関与するツールとなり得る。

第三に、同質の者同士がつながりがちになる SNS に対して、異質の者の交流する場にするツールとなり得る。

さらに、コロナ禍において、「新しい生活様式」（ニューノーマル）の必要性が叫ばれる今日、ICT を活用したオンライン学習の存在価値がより高まっている。また、対面学習の重要性を忘れるわけにはいかないのと同時に、「ひきこもりがちな人々」が、気軽に参入したり、撤退したりできるという思いがけ

158　第7章　生涯学習と市民参加

なかった「ICT の効用」も指摘されている。

ICT に関連して、情報ボランタリズムの可能性がネットによって飛躍的に拡大したと考えられる。ボランタリズムとはボランティア精神のことで、自主的、自発的に、見知らぬ他者や公共の役に立とうする傾向を意味する。便利になったネットを通して、「**自負できるプライバシー**」や「**二次利用されたい著作権**」を発信しようとする。これを行政の側が、「**個人情報の保護**」や「**著作権保護**」を理由として制限しようとするのは、本末転倒だといえよう。

次に**アクティブ・ラーニング**について考えておきたい。新学習指導要領の視点は、文部科学省資料「新しい学習指導要領等が目指す姿」（2017 年）によると、大切なのは「何を知っているか」だけではなく、「知っていることを使ってどのように社会・世界とかかわり、よりよい人生を送るか」ということである。そのため、知識・技能、思考力・判断力・表現力等、学びに向かう力や人間性など情意・態度等にかかわるもののすべてを総合的に育んでいくために、アクティブ・ラーニングの意義が注目されている。そこで、子どもたちが「どのように学ぶか」についても光をあてる必要があるとの認識のもと、「**課題の発見・解決に向けた主体的・協働的な学び**（いわゆる「アクティブ・ラーニング」）」について検討が重ねられた。そこには、課題解決型学習（**PBL**：Project-Based Learning）の考え方も強く影響している。他方、これらの工夫や改善が、ともすると本来の目的を見失い、特定の学習や指導の「型」に拘泥する事態を招きかねないのではないかとの指摘もされた。

私は、アクティブ・ラーニングの代表的存在であるワークショップについて、カード書きの時間が自己内対話の時間として効果を果たしていると考察したことがある。すでに見てきたように、教育は、個人化と社会化を一体的に支援する必要がある。「協働」の型ばかりにとらわれて、個人の深まりに目を向けないとしたら、「主体的学習」は支援できないといえよう。

なお、2020 年からの新しい教育課程から、小学校段階での**プログラミング教育**の必修化が始まった。そこでは、「プログラミングを体験することが、探究的な学習の過程に適切に位置付くようにする」とある。ただし、「次期解説（総

合的な学習の時間編）」においては「プログラミングのための言語を用いて記述
する方法（コーディング）を覚え習得することが目的ではない」とされ、プロ
グラミングそのものを重視するのではなく、その体験を通して「そのよさや課
題に気づき、現在や将来の自分の生活や生き方とつなげて考えることが必要」
とされている。

2. 市民参加とシティズンシップ

　戦後、「地方自治」は憲法上の制度として厚く保障された。地方自治の本旨
は、**住民自治と団体自治**の2つの要素からなる。住民自治の本旨から、地方自
治は民主主義の基盤であり、また、地方自治への参加を通じて住民が民主主義
の在り方を学ぶという「民主主義の学校」であるということができる。この趣
旨から、地方自治法には、選挙、直接請求、請願と陳情、住民投票などの「市
民参加」の方法が挙げられている。さらに、今日では、市民の「**参画**」と「**協
働**」をキーワードとした「まちづくり」の意義がクローズアップされている。
「参画」とは、単なる参加ではなく、企画段階からの主体的な参加を指す。「協
働」とは、単なる共同ではなく、互いに異なる役割を発揮する活動を指す。

　「参画」と「協働」のためには、市民としての主体性が求められる。これを
シティズンシップ（citizenship）と呼ぶことができる。シティズンシップとは、
もともとは、市民としての資質・能力を意味する。その資格に基づいて市民と
しての社会権等が付与されるという意味で、今日の福祉国家の理論的基礎とも
なっている（マーシャル、1950）。そして、今日では、「**持続可能な開発**」（ESD：
Education for Sustainable Development）への参画のために必要な資質・能力も、シ
ティズンシップに求められるようになった。

　2012年に国連事務総長が「**グローバル教育最優先イニシアティブ**」（GEFI：
Global Education First Initiative）を立ち上げた。そこでは、教育がいかにして世
界をより平和的、包括的で安全な、持続可能なものにするか、そのために必要
な知識、スキル、価値、態度をいかに育成していくかを訴えた。Global Citi-
zenship は3つの優先分野の1つに挙げられ、ユネスコにおいて、「**地球市民教**

育」（GCED：Global Citizenship EDucation）は、教育の質を向上させるものとして
ESD と併せて論じられている。

これは、学習者が国際的な諸問題に向き合い、その解決に向けて地域レベル
および国際レベルで積極的な役割を担うようにすることで、平和的で、寛容な、
包括的、安全で持続可能な世界の構築に率先して貢献するようになることを目
指すものである。

市民は、個人として生活し、働いている。両者のバランスは「**ワーク・ライ
フ・バランス**」と呼ばれる。そして、今日では、地域等での社会参加、社会貢
献などの社会的な（ソーシャル）活動を加え、「**ワーク・ライフ・ソーシャル**」の
すべての充実が重要だといわれる。「イクメン」であるだけでなく、仕事面でも、
さらには社会面でも、市民としての役割を果たすこと、これが「個人としての
充実」と「社会の一員としての充実」が両立した現代の幸福追求の条件といえ
るのだろう。

3. まちづくりへの子どもと親の参画

1997 年、**ロジャー・ハート**（Roger A. Hart）は「子どもの参画ラダー」を示し
た。このラダーでは、「お飾り参画」、「形だけの参画」から、「子どもが主体的
に取りかかり、子どもが指揮する」、「子どもが主体的に取りかかり、大人と一
緒に決定する」という高次の参画形態までの発展段階が示された。

しかし、ラダーが示すべきものは、本来「形態」ではなく「能力」である。
「子どもの参画ラダー」を、それぞれの参画段階での必要能力の構造を示すも
のとして、また、それにより「まちづくりに参画する子ども像」を実現するた
めのカリキュラムを作成する拠り所として完成させることが、現在の子ども育
成にかかわる私たちに与えられた課題である。

次に、われわれの研究結果を基に、親の「**子育てまちづくり**」への参画につ
いて、述べておきたい。親は、子育ての中で、親としての自己を形成するとと
もに、子どもを媒介として社会にかかわる。そのかかわり方は、他の親との単
なるあいさつの場合もあるが、それも含めて、社会形成の一環としてとらえる

ことができよう。われわれは、これを「子育てまちづくり」への参画過程ととらえた。

そこで想定するプロセスは次の通りである。社会に関しては「他人事」ととらえ、「子育てまちづくり」については「ひとまかせ」とする親が、やがて変革していく。そのプロセスは、「わが子のことをよく見る」から始まって、子育て仲間を見出し、自他への気づきを深めるのである。さらには、自己形成へと発展し、「子育てまちづくりへの参画」というかたちに至る。このようにして、**自己形成と社会形成**とが循環的、一体的に行われると考えることができる。

「子育てまちづくりへの参画」には、いくつかのレベルが考えられる。他者とのあいさつ・会話などの原初的レベルから、他者からの委嘱に応えて活動するレベル、子育て仲間のリーダーとして活動するレベル、子育て支援行政や関連機関と協働して「子育てまちづくり活動」を行うレベルなどである。このレベルと進展段階を指標化、明確化することによって、子育て学習における親の子育て能力と社会参画能力に関する「能力ラダー」（発展段階）の構造を明らかにすることができると考える。

なお、同研究における「**個人完結型から社会開放型子育て観への転換**」というキー概念の設定にあたって、われわれはその「子育て観」について、次の通り「操作的定義」を定めた。個人完結型とは、母親（もしくは父母）が自己の子育てに関する問題を（自らの範囲内で）解決するスタイルである。社会開放型とは、地域社会の支援・協働のもとに母親（もしくは父母）が自己および他者の子育てに関する問題を解決するスタイルである。

さらに、社会開放型を説明するキーワードとして、以下の通り設定した。①（学校、家庭間、地域における）相互支援、参画、協働、②（他者とのかかわりによる）効果・成果の拡大、バラエティの拡大、③（他者との意見交換による）智恵の共有、合意形成、④（子育て活動における）グループ形成、仲間づくり、⑤（社会的活動における）社会的視野の拡大、まちづくり、ユニバーサル、共生。これらは、本章で見てきた生涯学習の特徴と一致するものといえる。

子育て支援においては、物的支援だけでなく、親の学びや支え合いを支援し、

まちづくりへの参画を進めることが重要である。このような「子育てまちづくり」によって、「個人完結型子育て観から社会開放型子育て観への転換」が図られるものと考える。そして、子どもに対してだけでなく、親に対しても、社会参画活動を通して、教育の目的である「人格の完成」と「社会の形成者の育成」を一体的に進めることができるのである。

たとえば、子どもを産んだことのない若い保育者が、このような親教育の役割を担うことができるのか。これについては謙虚にならざるを得ないとは思う。だが、本章で述べてきた通り、教育が学習者の主体性を尊重しながら、主体性の獲得を支援する活動であるとするならば、そして「引き出す」という活動であるとするならば、親との「楽習」および「共育」は計画化できるはずである。

「親の無関心」、「個人完結型子育て」、「モンスター」などの絶望的な問題によって停滞してしまう現実がある。この状況から脱して、親や地域の人々との協働によって「子育てのまちづくり」を実現していくように踏み出せるかが、「子育て支援」の課題の中心と言えよう。

【引用・参考文献一覧】

・明石要一『ガリ勉じゃなかった人はなぜ高学歴・高収入で異性にモテるのか』講談社、2013
・川島高之『いつまでも会社があると思うなよ』PHP研究所、2015
・西村美東士「参画型子育てまちづくりから見た社会開放型子育て支援研究の展望」、私立大学学術研究高度化推進事業社会連携研究推進事業『連鎖的参画による子育てのまちづくりに関する開発的研究　平成17～21年度研究集録』、聖徳大学、2009、pp.1-14
・Roger A.Hart. *Children's Participation: The theory and practice of involving young citizens in community development and environmental care*, UNISEF & Earthscan Pablications Ltd, 1997 ＝ ロジャー・ハート、木下勇・田中治彦・南博文監修、IPA日本支部訳『子どもの参画―コミュニティづくりと身近な環境ケアへの参画のための理論と実際』萌文社、2000

Chapter

8

教育とケアの学びへ
──実践のための探求と省察

第 1 節　対人援助と実践の学び

1.　人を助けたいと思うこと

　「人を助けたい」という気持ちは、教育やケア、子育てなど、広い意味での対人援助にかかわる際に現れる。そのような気持ちは、「学び」を求めていく動機ともかかわる。今日、対人援助のプロフェッショナルな教育に焦点を絞る時、経営組織、保育所、幼稚園、福祉施設などの中で労働能力の水準の向上が求められ、医療、福祉、心理、看護等の広い意味での能力を育むカリキュラムが編み直されていく傾向にある。とりわけ、社会福祉専門職教育（social work education）、保育者養成、カウンセラー、教員、介護福祉専門職養成、対人援助等の専門職養成のカリキュラム編成において、実習、実技、実践といった体験による学びが重要な位置づけになってきている。

　本章の目的は、子育てやケアの中心的問題である、対人援助に関する原理と

実践の考察を行うことである。今日では、公教育の教科「福祉」においても、カリキュラムの変化の方向として、実践的な対人援助の学びへの要請が増している。こうした動向を踏まえて、子育てとケアにかかわる学術領域である「社会福祉」研究と「ケア」研究の学際的な交差の領域を論考する。さらに、実践それ自体の意義を考え、対人援助実践の対象者である当事者の概念に省察を加えて、**省察的実践**（reflective practice）の重要性を示していく。

　近年の動向からは、「学級」のみに閉鎖される教育から、学校、家庭、地域社会へと連携された学びの公共圏への構想の拡大化が予想される。もちろん、戦後の社会福祉の体系化に重要な寄与を果たした**生活保護法**から続く**社会福祉六法**とその関連領域、そして、**日本国憲法 25 条**にある**生存権**に象徴される人権の視点が、子育てとケアを学習するのであれば不可欠であり重要な要素となる。

　以上のような点を踏まえて、子育てとケア、対人援助をどのように学んでいけばよいのかを考える上で、対人援助の対象となる学術領域に焦点を絞り、とくに、社会福祉とケアの学際的交差の領域を学んでみることにしよう。

2. 社会福祉とケアの交差する領域

　一般の人や学生が、対人援助にかかわる社会福祉やケアを学ぼうとする時、どのような領域が連想されるであろうか。社会福祉学を学ぶ際の基本的領域の規定を考えるのであれば、上述のように、日本国憲法 25 条の生存権に明記された文言が重要であり、また、生活保護法以後の「社会福祉六法」体系とその関連領域に象徴される、社会福祉の学理体系を指摘することができよう。

　さらに、これを具体的な現実の事例（ケース）で考えれば、たとえば、公的な「**福祉事務所**」を介して、市民が生活保護を受給するための法、政策、経済等の領域とかかわりや生存擁護を探求していく社会福祉の学術領域が見てとれる。生活保護にかかわる貧困の社会政策的な研究は、実際に貧困下にある者の生命を擁護する強い実践性を有している。この研究は、生活保護の財政的な研究から、福祉事務所の実際活動としてのソーシャルワーク、さらに、地域社会やコミュニティとのつながりから、貧困状態にある者をどのように福祉事務所

と連携させていくのかというような実践的な事例研究にまで至る。

　さらに、貧困者の家族といったものに視点をあてれば、家族福祉にかかわる子育てや保育、介護という分野の福祉、時として家族構成員の生命を守ることに直接関係していく視点となる。こうした社会福祉実践の研究の営みは、「ソーシャルワーク／社会福祉援助技術」研究とも相関しており、わが国における社会福祉援助技術で教育される理論が重要なものとなっている。

　日本においては、子育てとケアの原理に多大な影響を与えた**倉橋惣三**がおり、『**幼稚園真諦**』（1953年）、『育ての心』（1936年）などの著書がある。倉橋は、東京女子師範学校附属幼稚園（現在のお茶の水女子大学附属幼稚園）など現場の経験にも根差し、「生活を生活で生活へ」という呪文のような言葉を残している。「児童中心主義」の立場から、生活の有する深淵な意義を探求した。また、興味や自発性を尊重する「**誘導保育**」を提唱している。

　こうした生活重視は、**城戸幡太郎**による「社会中心主義」の視点からの批判も重要である。城戸は、保育問題研究会などで、活発な研究を継続した。ただし、倉橋の提唱する子育てと生活の重要性は、今日においても、たとえば国際的な「**生活の質（QOL：quality of life）**」の潮流との関連からみても、まったく揺らぐものではない。

　さらに、近年、国内外で看過できない重要な研究領域として、新たな「ケア」に関する系譜の研究や学びが急速に進んでいる。いわゆる、「ケア」や「ケアリング」、あるいは、「ケア論」として論じられる研究領域である。このことは一見すると不思議でもある。たとえば、チャイルドケアが保育そのものを指し、ケアワーカーが介護福祉の実践にかかわる。したがって、ケアの研究や学びは、既存の社会福祉研究では十分であるように見えるからである。

　しかし、近年のケア論は、その1つの思想的な源流にある**メイヤロフ**（Milton Mayeroff）の『ケアの本質』（Mayeroff, 1990＝1987）に象徴されるように、独自な系譜を描きながら、豊かな研究を蓄積しつつあり、人を助ける対人援助原理とその教育に強く相関しながら、世界的な研究の促進がなされている。

　本テーマにかかわるケアの教育の分野では、固定した真理ではなく、探求し

166　第8章　教育とケアの学びへ——実践のための探求と省察

ゆく学びを構想した教育学者・心理学者の**デューイ**等の影響を受けて教育のケアの理論に貢献した**ネル・ノディングス**（Nel Noddings）等がケアの理論を提供している。ケアの原理的な広がりは、カウンセリング理論に重大な寄与をした**ロジャーズ**、生きる意味の心理学、生と死、愛の学びにかかわる**ビクトール・フランクル**（Viktor Frankl）といった研究者がいる。こうした「ケア」という概念そのものが、研究者の間において、「倫理、教育、心理、看護、医療、介護、福祉、社会政策、女性学などの分野で、近年、急速に関心が高まっていることば」である（中野他、2006）。

　これまでの社会福祉領域では、「貧困」の福祉をテーマとし、生活保護法よりはるかに昔のイギリスにおける**エリザベス救貧法**（1601 年）の系譜から社会政策、法律、経済、労働へと連なる体系的な学びがあった。保育士や社会福祉士の試験では、生活保護法やエリザベス救貧法といった救貧法が問われる。

　近年のケア論は、かつてロジャーズがカウンセリング心理学の実践場面構成、対人援助実務の構成に寄与したように、そして、メイヤロフが直接的にケアの関係性について洞察をしているように、対人援助実践の関係性そのものを原理的な論議とすることを主眼としている。つまりこれは、人がケアするということは、どのようなことを意味するのか、といった原理的な思考や省察、反省へともつながっていくものなのである。

　こうした社会福祉やケア論の複合的な広がりは、そもそも「人を助けること」という一見素朴な初学者や学生が学びの発因として素朴に描くようなことが、いかに容易に論じることが困難であるかを示唆している。

　確かに、貧困下の人を助けるということのみを社会福祉と固定するのであれば、それは社会福祉が経済学の問題としてのみ強い親和性を帯びて、研究や教育実践の原理となろう。しかし、「**自殺**」といった生存を脅かす社会福祉の根幹にかかわる問題によく示されているように、貧困という経済的な要因のみならず、うつ病のような心のケアなどにもきわめて注視が必要であり、臨床心理、カウンセリング、対人関係の領域を取り入れた、包括的なケアからの洞察が問われている。この点、教育とケアを学ぶものは、社会的、政策的な視点と共に、

第 1 節　対人援助と実践の学び　*167*

カウンセリング理論、対人援助の技術的な点、広い意味での実践的なケアについて学ぶことが有益である。

さらにケア論にかかわる論題は、こうした領域間の問題だけでなく、より根本的に生存を守るという理念まで深めて論考をすると、ある種のアポリア（答えがないこと）を有していると指摘できる。社会福祉が生命を擁護すること、人間の尊厳を守ることを原理とする時、「人間の誕生から死へと至る生死の問題をどのようにとらえればよいか」という教育についての原理的な問題がそこにはある。この生と死に関する生存の問いで重要であるのは、この生命の在り方の問題が、臨床心理、カウンセリング、ケアワークにおける実践に強く結びついていることである。

この点は、終末期のケアである**ターミナルケア**、悲しみのケアである**グリーフケア、生活や家庭**にかかわるライフイベントの問題に象徴されるように、現実として私たちの生命は必ず終わる。つまり必ず死へと至る身体を持っていながら、いかにその生命を擁護していくのか守ろうとしても不死でない人間の身体は、必ず死と確定される瞬間が来るがという基本的な点がそこに携わっている。

現実の問題として、終末期における生の意味やケアする意味、あるいは、症状が進行し死が迫る中でいかに生命の尊厳や質をとらえ、対人援助をしていくのかという問題、妊娠と中絶の在り方の問題、そして、子育てや介護といった「ケアを担うのは誰か」という問題は、明らかに実践の上でも重要であり、ケアする者とケアされる者が現実に抱える可能性がある原理的諸相を、学習者や実務家が軽視してしまうのは避けねばならない。

3. ケアの本質と人徳？──自分と相手を見つめ直す

先駆的にケアする者とケアされる者といった、原理的な考察を可能とした論者であるメイヤロフのケア論は、医療や看護等の実践性の強い臨床分野においても論議されてきた。私たちが生きている存在（ontological）であるといった論議まで広げるケア論は、終末期のケアにかかわるターミナルケア等の実践問題

168 第 8 章 教育とケアの学びへ──実践のための探求と省察

の論考まで包括している。実践と理論そのものを問い直すこと、臨床の実践のために「現象」を徹底して考えていく現象学的な論考『セラピストのための現象学』（Finlay, 2011）といった原理的な領域へまで広がっている。

こうしたケア論には、やがて確実に死に至る人間の生命をケアするという実践について、生と死にかかわる存在論への洞察を深める可能性を持っている。すなわち、社会福祉に関する領域は、政策学、経済学、経営学といった社会科学の諸ジャンルから、生存の諸相を反省するケア論へと至る学際的な領域へと広範に及ぶ。閉鎖した領域の独断によらない多元的なアプローチの可能性を広げて、緊急下の現実、たとえば、虐待といった現実への社会福祉問題群の解決に結ばれる連携につないでいくことが求められる。

しかし、この領域を相対化し、反省的実践への教育へとつなげるために、その原理を学んでいくには深刻な問題も有している。そのことは、ケア論の思想的源流の１つであるメイヤロフの読解にも伺える。たとえば、メイヤロフの本が、ケアに関する統一した「本質を解明」したテキストと規定する時、ケアの実践行為や技法について、あたかも本質主義（essentialism）を誘引するようにも読めてしまう。このケアの在り方を特定の実践技術を「本質として固定化」する時、デューイが説くような現場や実践に柔軟に対応する探求、プラグマティック（実用的）なケア論、創造的な対応をかえって阻害しかねない。

メイヤロフのケア論は、対人援助原理および福祉教育の理念を、狭い意味での直接的な対人関係論や人間関係、存在論において読解する危険性を有していると捉えられる。そこでは、ケアを考える際の基本的な視座として、ケアをする人とケアされる人との関係性が重要な要素となっている。そして、メイヤロフは「他者」が成長することを助けるケアを描きながら、私自身の延長としてのケアを見出しているように、ケアにおける世界は自らの成長と関係性のうちに構想される。

ケアする行為をケアされる者との直接的な実践であるとするならば、ケアする者の人間の深い徳性（Virtue Ethics）まで踏み込んだケアの基礎理論の固定は、ケアをする人や専門家へ強い責任や忍耐を厳しく要求しながら、知識から心身

第 1 節　対人援助と実践の学び　*169*

の徳性へまで及ぶ人間を統制する倫理的な原理となる可能性を有している。そして、強調すべき点は、こうしたケアの理論が、決して抽象的な論議ではなく、強い実践性、現実の行為へと明らかな影響を及ぼすことである。

　とくに、ターミナルケアや重度の障害者の介護、深刻ないじめ、虐待にかかわる子育て、貧困に関するトピック等のように、生と死にかかわるケアの実践は、ますますその行為の責任を重大化させる。自らと他者との直接的なケアの実践関係にのみ対人援助の形式を矮小化して忍耐や責任を固定する時、一層に他領域間への相対的視点——自らのケアの遂行を中断して社会資源との連携から実践の在り方そのものを脱構築すること——が困難になろう。

　社会福祉において、生存の擁護、人権の擁護は基本的で不可欠な点である。人権、その基底にある生存を擁護するこれまでの社会福祉体系と共に、新たなケア論の豊饒な研究成果が蓄積されている。社会福祉とケアの学際的交差領域を改めて反省的にとらえなおし、社会福祉で問われている生存にかかわる諸問題について、あらゆる解決の方法への可能性を排除しない、学際的な原理の探求が求められる。

　以下では、子育てとケアの原理にかかわる対人援助の実践と反省について、発展的な論議を展開する。

第2節　子育てとケアにおける対人援助の実践と反省

1. 対人援助の学びと実践の問い直し

　ケアにおける実践とは何を意味するのであろうか。たとえば、経済学・厚生経済学（welfare economics）、社会政策について学ぶこと、これは**社会福祉**（social welfare）についてかかわる学びであることは間違いないであろう。日本の戦前から戦後にかけて社会政策の研究に寄与した、**大河内一男**は、社会政策の意義を労働力を守る保全として論じ、社会福祉を学ぶ上でも挙げられる人物である。

　社会福祉の実践活動は、経済、社会政策、制度・法の問題とも強くかかわり、貧困、労働、経済等と緊密である。貧困問題に象徴されるように、人間の

170　第8章　教育とケアの学びへ——実践のための探求と省察

生命を脅かすケースにおいても、経済、法制度の問題は避けることができず、保育士や介護福祉士などのケアの専門職教育において学ぶことは重要である。

　現場においては、とくに生死にかかわるほどの貧困を扱う時、援助実践は緊急を要するのである。実際のケースでは、貧困が、家族、保育、介護、単身世帯の孤独死、ホームレスの問題等の複雑な形態ともかかわる可能性がある。現場からの援助要請においても、経済的な側面からの社会政策の推進と連携が強く求められよう。社会福祉史を見ても、エリザベス救貧法から生活保護法に至るまで、貧困下の経済にかかわる援助が社会福祉の基底となっていることは、対人援助を論じる際に重要な示唆を今日まで与えている。

　しかし、社会福祉と実践の様相は複雑である。社会福祉の実践を考える時、対人援助の実践には、介護等の現場において、明らかに「援助する者と援助される者」という関係性が見出される。確かに、社会福祉の法や経済の領域は、強い実践性を帯びているが、具体的な対人支援の現場、直接的な実践プロセスといった研究が重要であることは論をまたない。教科「福祉」では、新たな科目である「介護過程」を設置したが、現場における実践過程論は重要である。イギリスからの系譜に由来する社会政策の流れは、きわめて重要であるが、社会福祉研究のすべてではないことは明らかである。

　実践の場面構成を扱うことができる、**ロジャーズ**のカウンセリングへの視点は、受容や傾聴というカウンセリングの実践行為と共に、**ケースワーク**やソーシャルワークの実践教育に、不可欠なものであろう。ケア論は、先にも指摘したメイヤロフに象徴されるように、当初から対人援助のケアの在り方を論議し、これを学び研究することを可能とする対人関係論への実技と親和的な原理を形成していた。カウンセリング心理学、看護学、臨床教育学、ケースワーク、福祉援助実習等にあるような実践過程を記述し、学理を深めることができる可能性を有していたのである。同じように社会福祉における「実践」という用語が使用されたとしても、ケアの対人関係行為への研究と社会科学的な社会政策や教育制度論との領域間で、学生にとって異質な学びと感じられることがあろう。

　そして容易でないのは、子育てとケアの実践への原理に関する一定の定義、

規定、それらの「基礎づけ（foundation）」についてである。「基礎づけ」といえば、近年はデューイ、アメリカの詩人のウォルト・ホイットマン（Walt Whitman）の影響を受けた哲学者のリチャード・ローティ（Richard Rorty）が、強固な基礎づけ主義（Foundationalism）へ異議を申し立て、現場に柔軟に対応できるプラグマティズムを改めて主張していることが想起されるが、少なくとも福祉教育における実践の原理を基礎づけようとする時、複雑な領域の点在と実践への重大な影響により、ケアの原理を安易に固定化することが難しい（Rorty, 1991）。

確かに、マクロな社会科学の領域もケア論の系譜も共に、ケアの重要な構成要素となる。しかし、これらが学びのカリキュラムとして配置され、学生が、社会政策等の座学と実習・フィールドの事例や実技とを同時に学ぶ時、これらに通底する原理をどのように調和させればよいだろうか。

保育・子育て、ケアの専門的な実践活動を学びたいと願う学生が、専門化された社会科学の知識と、現場の技術や経験を同時に学ぶ時、これらを包括的なケアの領域として学び、どのように対人援助に活かしていけばよいのかという、きわめて実践的な問題がある。子育てとケアの学びには、知識のみならず、対人援助への強い実践性を帯びており、活動と断絶しない学びが求められよう。以下ではこうした実践性について、とくに子育てとケアにおける原理の中核に位置する生存の諸相に焦点をあてながら本節の論議を深めたい。

2. ケアのカリキュラムにおける断絶と総合

子育てとケアの学びについて、複雑な領域を横断する性質があるとしても、その中心にある思想は明快さを有している。それは、**よく生きていく**（well-being）という「**生存権**」、カリキュラムによれば「**生きる力**」に由来するという明確な定点があるからである。この起点は、マクロからミクロといった焦点の位相を貫き、一貫した思想となって原理を包括する。

ケアとその現況について、マクロ経済の範疇、社会保障の行財政の規律の議論が展開されるのであれば、少子高齢化や経済不況が続く際に、経済や政策による生活支援への緊縮が加えられて、生存が脅かされるといった現象が生ずる。

そして、その傾向は、極度の貧困や精神の疾患等、生存の危機の状態にある者にとって——生活保護や虐待の当事者にとって——、生と死の現実へと直結して影響を受ける。つまり、対人援助の実践へと着眼すれば、マクロとミクロな動態が横断的にリアリティへと相関して問題を生じさせる可能性を有している。本節では、憲法の生存権にあるように、ケアの中核である生存に関する視点から、対人援助の実践活動に焦点をあてることにより、その原理的な学びへの可能性を論じたい。

　ここで改めて社会福祉、子育てのカリキュラムにかかわる、学術領域の様態に注目すると、いかにそれが学際的で、異領域を混合しているかがわかる。とくに、行財政にかかわる社会保障、法学等、教育制度論関係の系譜と社会福祉援助、相談援助、実習等、にかかわる科目群に関する体系が大きく異なり共在している。さらに、福祉教育の視点からは、とくに専門的な学びになるほど専門科目間の分化が促進しよう。介護や保育の専門的な行財政法の学びと、クライエントの生活歴やケースにかかわる臨床心理、精神分析的な援助の学びとの間では、知識の体系が大きく異なる。このことは、法学の学生が六法を体系的に学び刑法や商法を学ぶことができるといった過程と比較すると、行財政から臨床心理にまで及ぶような子育てとケアにおける学びが、いかに広範な異領域にまで及んでいるのかを示している。

　さらに、対人援助や教育等の専門家を目指す者にとって、このケアに点在する学びの困難さや距離の問題は、単に科目間の布置という物理的なものではなく、より実際的な学びの中に深く内在している。とくに、子育てとケアの実践において不可欠な対人援助のケースを学び取るといった事柄は、実際に現場に出た際に、緊急に対応を求められる状況に迫られることも十分にあり得る。しかし、現場において統合された諸体系の知識を活用し、最適な実践へと結びつけることは容易ではない。

　援助者とクライエント間の関係性を対人援助の科目の中で学ぶ時、一科目内部において対人援助論を学び、学生がその科目の体系のみに準拠した活用や学びを連想するのはある意味で自然である。臨床心理的な対人関係の科目のケー

第 2 節　子育てとケアにおける対人援助の実践と反省　173

スにおいて、緊急下の援助の事例を扱うのであれば、クライエントの来歴の分析、カウンセリングの諸技法や精神力動的な学びが題材として適用されるかもしれない。あるいは、クライエントの精神や認知行動科学に関する解決のアプローチが模索されよう。

　少なくとも福祉教育の範疇にある対人援助は、臨床心理やカウンセリングの諸理論、それと派生する諸技法であるクライエント中心療法や認知行動療法といった臨床心理の範疇だけに収まらない。そうした心理や対人関係論への着眼はきわめて重要であるが、虐待の問題に象徴される生存に対する侵害のケースは、時として警察や公的機関への緊急の通報を含む、法学的な刑事の問題と直結する。時間をかけた傾聴や成育歴の事例分析のみならず、緊急の行政間の連携、権利や人権侵害の迅速な回復が決定的に重要となる場合があろう。

　こうした生存を擁護する「人権」という視座は、福祉教育で扱われる社会福祉施設、学校、家庭、地域社会といった、あらゆる現場に適応される。学校や家庭であるから「人権や法規」が無効化されて、心理的な対人関係論だけに閉鎖された援助原理を体系化する時、たとえば、いじめや体罰、虐待の対応についてきわめて深刻な問題を引き起こす可能性があるだろう。ただし、このことは、決して対人関係論やメンタルケアを軽視するという意味ではなく、統合的なケアや学際的な支援の探求が重要であるということである。

　ここで注目すべきは、福祉教育において、生存の擁護が原理の核心となる時、学術の体系において異領域と思われる知識が、対人援助にかかわる実践、広い意味での活動の中で、問題解決へ向けて統合的に作用していることである。子育てとケアに関わる原理を、絶対的に基礎づけて整理するのは難しい。それは学識があまりに広範で複雑であり、一切の学識を完全に固定化して整理することは困難だからである。しかし、生存や生活を擁護する活動、実践という視座から、それら諸々の知識や領域を、よりよく現場で作用させるかという着眼を持つ時、学識にある種の統合性を得ることができよう。

　生活や生命の質に関する実践的支援の着眼は、QOL（生活の質）の概念により、心理学、医学、統計学等の自然科学的な領域とも親和性を帯びた尺度構成をも

可能とする。ケアの質に関する視点は保育分野でも研究が蓄積し注目されており、生活支援という着眼の中で、さまざまな領域間を調和的に把握できる可能性を有している。たとえば、生活困窮者に対して、**自助、共助、公助**というような、複合的な視点がケアの実践においても重要な意味を持つ。

　こうした学びにおける実践や活動の原理的な有効性への言及は、近年、**ショーン**（Donald Schön）等により、対人援助分野において急速に普及してきている。いわゆる「**反省的実践者**（the reflective practitioner）」の概念である（Schön, 2007, 2017＝1983）。このような反省的思考は、知識の増減に隔離される学びから、活動の中での反省というように、活動における有機的な経験や身体の体験による学びへと相関する。これは、ショーンが影響を受けた、デューイの構想、知識と実践、理論と実践の分断など**二元論・デュアリズム**（dualism）へと学びを分けない、『経験と教育（*Experience and Education*）』の構想とも通じる（Dewey, 1997＝1938）。

　この意味における活動による学びは、教育原理、法学等から体験学習、実習の科目までカリキュラム間を総合する強力な構想とも言える。近年では、一斉授業による「学級」の固定から、家庭や地域社会へと協同が模索されるが、教育の実践における決定的とも言える「学級」それ自体のとらえ直しという論議さえも挙がっている。教育学者の佐藤学は、「『学級王国』の成立と崩壊」と鋭利な指摘をしているが、「学級」の存立を省察的にとらえ直しており注目されている（佐藤, 2012）。このことは、現実の深刻な教育問題としての「**学級崩壊**」のように、一斉授業における知識伝授の不安定化、他方で、身体の活動や反省的実践へと相関する学びへの急速な興隆にかかわっている。今後、おそらく一層に福祉教育の分野においても、活動による学びへの傾斜が深まり、複雑に専門分化した知識の増大や対人援助領域の拡大と共に、実践の教育へのさらなる原理的な考察が重要となってくるだろう。以下では、ケアの学びと対人援助原理に関する考察をし、さらに本章の論議を深めたい。

第**3**節　ケアの学びと対人援助原理

1. ケアにおける学びの反省／実践行為を中断すること

　ケアや社会福祉について、実践的な対人援助に関するリアルなケースを学ぶ際には、独特の様相が垣間見える。1つには、生活保護、児童および高齢者虐待、重度の精神疾患への対人援助の実践といった**事例研究**にあるように、人間の生存を脅かす生活へとダイレクトに接触し、実践的な解題と成果が求められる傾向があることである。知識を暗記することを中心とする勉強とは、大きく異なっているのである。たとえば、「自殺」といった問題は、社会福祉やソーシャルワーク、その他の教育群においても重大なトピックであり、生と死という臨床心理や生活場面での諸問題の発生と解決の方途への探求が、決して形而上学的な議論に終わるのではなく、教育実践やカリキュラムの在り方と一層の相関を帯びてきている。

　さらに、この点に関連し、本領域の独自な様相として指摘できるのは、こうした実践的で生活に近接した学びが、学び手自身に関する経験、生活歴といった要素とかかわりながら、学びの過程に強く投影される可能性を有していることである。対人援助の学び、とくに専門職養成課程は、学び手とカリキュラムの相互の関係の中で学ばれて終わるのではなく、現場において有機的に技能を行使できる実践までもが求められる。

　このことは、実践の重要な論点である「当事者（性）」の概念とも密接にかかわる。社会福祉や対人援助の実践を専門的に考える際には、当事者、来談者中心療法（Client-Centered Approach）、**パーソンセンタード・アプローチ**（Person-Centered Approach：PCA）が、一般的に重視されている。ロジャーズのカウンセリング理論に象徴されるように、広い意味の対人援助にかかわるコミュニケーション技術の学びにもその傾向が強い。ところが、社会福祉やケアの教育、社会福祉専門職教育の実践において、一体そこで学ばれる当事者とは何を意味するのか、当事者に対する単純なラベリングや固定化から反省を迫られる場面があるのである。

近年の社会福祉の重要な原理である**ノーマライゼーション**や**バリアフリー**、**当事者**といった概念は、狭い意味の専門的な社会福祉分野、社会福祉六法に関連する施設等のみならず、社会全体の在り方を変容させ、学校教育にまで大きな影響を及ぼしている。一般的には、福祉教育や社会福祉専門職教育を学ぶ学生は、現場に出て対人援助の実践をする時、当事者を助けることを第一義に考えて行動する原理、**利用者中心の原理**（Principles of Client-Centered Practices）が重要とされて、援助者となる学習者の実践行為を強く規定する。ここには障害を負った利用者や当事者を、専門的な技能を持った「健全な援助者（たとえば、健全な保育士、教師、ケアワーカー）」が助けるという、対人援助の自明な前提条件が垣間見える。しかし、これは果たして自明であり、絶対的なケアの関係要件なのであろうか？

　近年のノーマライゼーションやバリアフリーの進行は、急速に学ぶ者への障害や偏見による差別の解消を目指し、多様な人間に学びの機会の提供を目指しており、これは当然ながら福祉教育や対人援助の実践の場にも強い影響を与えている。「障害者」は、決して学校や高等教育など特定の現場や施設にいる者のみを指すのではなく、その他、あらゆる日常の生活場面へと参加が広がっているのである。つまり、対人援助を学ぶ学生がメンタルの病を抱えていたり、重度の障害を有していること、支援者、福祉の教師や高等教育機関の指導者等、高度な専門技能者が同時に障害者であるということも十分にありえる。したがって、ここでの「当事者」は特定の現場におり、専門教育機関で学び終えた健全な専門家が援助実践をするという、旧来の対人援助の前提条件が崩壊している。

　このような当事者性について、おそらく世界的に見ても有数の学理を探求したセクションである、東京大学のバリアフリープロジェクト体系の存在が挙げられる。その主導者の１人に、東京大学教授の福島智がいる。

　教師であり、専門家兼実践家である福島は、全盲、聾唖（ろうあ）という盲ろう障害者、つまり、本人が重度の障害「当事者」である。教授者本人が光と音を完全に失っているため、対人援助がなくなればコミュニケーションができない。ここでは、「指点字」という方途を通して、教授活動が行われており、学びの場

第３節　ケアの学びと対人援助原理　**177**

そのものが障害者との対話となる。

　そして、このバリアフリーの理念は、福島の個人的な事例で終えるのではなく、そもそも「当事者」や「障害者」とは何か、バリアフリーや社会福祉が前提としている秩序を反省的に問い直している。これは、「援助者と被援助者」、「支援者と当事者」、「強者と弱者」、「有能と無能」といった対人援助の強固な実践の前提関係、自明であるかに見える障害者の身体への援助の遂行、その身体形態の認定による規範の序列秩序（order）と差別化（differentiation）、そのフレームによる行為遂行（performativity）がある。たとえば、差別的な秩序として**「スクールカースト」**といわれる、目に見えない学生間の序列、差別があるように、教室内にも、ある種の権力による強い力動がみられることがあるだろう。

　差別的な秩序への反省、作業遂行の中断、実践の切断の考えは、教育学者の小玉重夫が、ケアへの実践、遂行や秩序の切断も擁護する原理的な示唆を与えている（小玉、2009）。こうしたバリアフリー体系では、自明に固定された障害への身体援助の前提による実践から、身体の葛藤・コンフリクト（conflict）といった流動性を有した状態をも考慮し、身体と自由についての論議、バリアフリーや社会福祉それ自体に内在する障壁（barrier）への反省が行われている。

2.　当事者への対人援助の学びと省察

　対人援助への基本的前提として、対人関係間の差異、すなわち、障害、疾病、貧困、環境、性秩序（gender order）等の差別化がかかわり、援助者から当事者へ、援助の遂行がなされる。こうした実践の行為は、この差異に準拠した当事者のニーズの構成、および、点数化によって実践の行為をも序列化される可能性を有している。さらにこれを組織体へと準拠すれば、福祉経営による主体は、対人援助の実践と成果による最適なマネジメントが考慮されよう。

　したがって、この「**当事者**」の認定（「この人が当事者である」）や認証は、対人援助を成立させる重要な構成要素となっている。もし、この当事者の認定に重大な失陥があるとき、実践の加速度が増すごとに、「対人援助」の遂行それ自体の危険性が増していくだろう。この意味において、実践における反省およ

178　第8章　教育とケアの学びへ──実践のための探求と省察

び省察（reflection）の持つ意義は、時として決定的なものとなる。

　この反省への実際的な意味を、福祉教育の学びの場の形成に焦点をあてると何が問われるであろうか。ケアの教育は、「**当事者**」への援助の遂行へと結びつく傾向が強い。原理や理論は、その認識でとどまらず、**ケーススタディ（事例研究）**や体験、経験、現場での実践により、学びは深まっていく。ところが、近年の社会福祉の原理の要素であるノーマライゼーションに象徴されるように、差別的な秩序を是正し常態化させること（normalize）への強まりは、自明であるとされた当事者の差別的な環境や序列、規範や役割を急速に相対化し、参加の機会は飛躍的な増加の可能性が見出される。先に挙げた東京大学のバリアフリー体系は、その先駆的な空間創造への志向ととらえることができよう。

　しかし、この参加や機会の場所の増大は、当事者同士によるカウンセリングである**ピアカウンセリング**（Peer Counseling）のように、たとえば、重い障害がある者が援助者にもなり、福祉実践をするという事例も想定できる。そのケースでは、その援助者も、「障害者」、「病者」として当事者であるという状況は変わらないのであり、その障害のある援助者へもケアが必要であるという視点は重要である。つまり、被援助者としての当事者でありながら、別の当事者へと支援者として実践しているのである。援助者でありながら当事者であるといった**複合的主体**、自己の**複数性**への想像力、柔軟な感性を持つことが重要である。こうした複数性や全体主義への論点は、哲学者の**ハンナ・アーレント**による鋭利な指摘がある。他にも、哲学者の**ミシェル・フーコー**が注目する「**パレーシア（隠れたことも含めて率直に話すこと）**」、「**自己への配慮**」の言葉のように、人間や真理の把握への深淵な洞察がある。そして、アーレントもフーコーも共に、人間の尊厳や世界市民などの考えに世界的な影響を与えたイマニュエル・カントを数多く参照して考えを深化させており注目される（なお、通俗的なカントの教えが、ただの固定した説教として理解されるとき、強制的な啓蒙や暴力、排除に陥りかねない。こうした問題は、古典的人物から現場の規則に至るまで、権威的に学識を教育利用することによって、同様に起こるであろう）。ここでは、人間の尊厳と人権を守るために、深い学びと判断力、知恵、教育における省察的

実践の意義が示唆される。

　現場や学生の事例でわかりやすく述べれば、メンタルの病や障害を抱えている当事者自身が、教師や保育士、カウンセラーなど援助者になっているということがあろう。私たちは、本書の第1章、第5章で人権の擁護、「権利行使の主体」としての法理をすでに学んでいる。その上で、声に出せない、目に見えない、さらに、複雑に問題が絡み合っている当事者、「ゆらぎ」や「とまどい」の中で実践をしていく援助者に対して、どのようなケアが構想できるであろうか？

　このとき、急進的な議論をするのであれば、「障害者」、「病者」それ自体の考え・概念を相対化し、完全に無効化すべきだという議論が成立しよう。そうすれば、どのような障害や疾病があったとしても、あらゆる人は「健常者」となる。どのような病を抱えていても、平等に扱われるべきとなる。たとえ死に至る危険性のあるような重度の障害者であっても、健常者と同様に扱われる。しかし、この時、重度の障害者が受けるべき支援や配慮すべき環境構成が重大な問題となるであろう。

　そもそも、伝統的な社会福祉学体系の当事者の認定は、歴史的にも深刻な問題が内在していた。それは、生活保護にみられるように、「**申請主義**」の原理に宿る、社会心理学的な負の印、烙印、恥辱ともいえる「**スティグマ（stigma）**」の形成の問題である。ここには、自らが「生活保護受給者」の「当事者」となることへの強い抵抗が容易に認識できる。そして、この当事者となることへの拒否という自己決定は、時に生存の危機にまで及ぶのである。これは、子育てでいえば、自らが「いじめ」の当事者であるという認定は、非常に強い抵抗があるというのは、容易に想像できる。

　さらに、当事者認定への抵抗性の発現は、経済作用だけでなく、精神、性、教育、学校現場まで広く波及し、対人援助者と当事者の関係性をとらえることを複雑にしており（——つまり、いったいどこに本当の被害者や当事者がいるのだろうかと）、その現況や事象（phenomenon）への学びを困難にしている。たとえば、うつ病等の精神疾患、いじめ、性的マイノリティ、そして、告白・カミン

グアウトの問題は、心理社会的（psychosocial）な問題と深くかかわりつつ、深刻な事態を隠蔽させる圧力が加わる危険を有している。子育てにおけるいじめ、人権侵害を、強い力動により隠すという作用を見出すことができよう。しかも、カミングアウトの強要や私的な断定は、新たなる被害を引き起こし多重に苦しみを与えることになりかねない。非常にデリケートな問題でもある。

　こうして、申請やカミングアウトに成功して、適切な援助が受けられる当事者と、何らかの理由により当事者性を明示できず援助を一切受けられない当事者との間に、同じ問題や差別を受けていても、著しい格差が生じる。そして、認識されない当事者を捨象した援助実践の遂行の拡大は、当事者間の格差を一層に増大させる。そこで求められるのは、事象や対人関係そのものへの省察であり、現象学的心理学（Phenomenological Psychology）や理論心理学（Theoretical Psychology）といった学際領域にまで及ぶ、省察的な実践への構想である。

　子育てとケアの専門家養成、専門職養成の場である学校さえも、こうした状況から例外でない。いじめや体罰の隠蔽は、時として生存にかかわるほどの危険性を有し、重大な現場となる可能性を有している。このことは、「有能で健全な学び手・学習者がいる学校」と、「外部に問題を抱えた当事者がいる現場が存在する」という固定的な二元論を自明とする思考とは整合しない。しかも、近年の社会福祉体系の原理要素でもある、ノーマライゼーションやバリアフリーの一層の拡大は、学びの空間の差別化をさらに変容させ、さまざまな問題や障害を有する当事者に開かれ、多様な人々の差異に寛容である学びや学校が構想される。

　とくに、福祉教育や対人援助、ケアにかかわる学びは、現場・実践への志向を強める傾向がある。局所的な知識の獲得のみならず、体験、経験、実習という強い実践への志向、生活環境の擁護、対人援助への実践とコミュニケーション技術は、ますます重んじられるだろう。さらに、さまざまな当事者の参加の拡大、バリアフリー化は、対人援助関係論の秩序それ自体に変化を促す。このような対人関係や環境の根本的な変転は、実践の在り方そのものへの省察の意義を重大化させるであろう。

第3節　ケアの学びと対人援助原理　*181*

メイヤロフは先駆的にケアについて、**他者へのケア**（caring for other people）と共に、ケアする**自らへのケア**（caring for myself）という視点を有していた。先述のバリアフリー体系のように、障害者である当事者自らが教育を実践し、自身が指点字で教えるという事例があるように、多様な人々が学びの場へと参加することは、当事者とコミュニケーションをとる現場そのものを変容させる可能性を有している。したがって、当事者が学生や教師となる現場での「自らへのケア」とは、当事者へのケアとなるのである。そして、当事者とのコミュニケーションは、用意されたカリキュラム要素や現場・外部環境においてだけではなく、学校・日常の生活それ自体において経験されて学習されるのである。

第**4**節　生きることとケア／実践を省察するために

「人を助ける」という対人援助の実践は、どのような当事者を想定しているのであろうか。本章において、福祉教育における「健全な学び手」が「特定の場所にいる当事者」の援助を実践に省察を加えた。

メイヤロフは、「ケアの能力」を論じながら、ベートーヴェンの「後期ピアノソナタ（the late Beethoven piano sonatas）」の意義に言及しており示唆的である（Mayeroff, 1990＝1987）。たとえば、「最後のピアノソナタ（Piano Sonata No.32 in C minor Op.111）」には、今日においてさえも「ある特定のジャンルの最後の作品がこれほどまでに濃縮された形で、それまでに開拓してきた独自の語法を至高の洗練度をもって表現したことはほとんど奇跡」と指摘されている（平野他、1999）。この作品 111 に限らず、ベートーヴェン自身が聴覚の障害と共に自らが死ぬ予感を感じながら創造されていく、晩年のピアノソナタや弦楽四重奏には、既存の固定した形式に対する著しい刷新、自明と思われる形式への挑戦、生きていくための可能性と希望を見出していこうとする、「生きる構想」が見られる。特定の形式に対する自由な学びが、いかに深い次元まで及んでいく可能性があるかを予見しているようだ。

ケアする者に対して、人間性や道徳を求めるメイヤロフのケアの理論は、他

人を助けたいと願う援助者に対して、強い責任や忍耐、ケアの目的観を要求し、人間の行為を統制する原理ともなる。特に、生存の危機に関わる事例（ケース）の実践では、ますます援助者に責任や徳性が厳しく問われる。

　このような援助者（教師や保育士等）への強い責任の強制は、心身の負担、ストレス等を増大しかねない。したがって、時には実践の中断、時間のゆとり、援助者間のケア、実践への省察が、決定的に重要となるのである。

　メイヤロフのケア論の読解で注目されるのが、冒頭に掲げられた謝辞（ACKNOWLEDGMENTS）に刻印してある、「特別に恩義がある」人々に対して、しかも「非常に異なった方法（very different ways）」ということを強調しながら、以下の人物を列挙していることである。それは、教育原理の学びで不可欠なデューイ、社会心理学者のエーリッヒ・フロム（Erich Fromm）、哲学者等で知られるガブリエル・マルセル（Gabriel Marcel）、そして、カウンセリングの学びで不可欠な来談者中心療法を創始したロジャーズである（Mayeroff, 1990＝1987）。

　この特別な謝辞の最初に記されたデューイは、前述のショーンが論じた反省的思考が生まれる起源にまでかかわりを持っており、世界的な教育の原理へ多大な影響を与えてきた。このような多様な人と思想に開かれていることの強調には、理論と実践とが分裂し、固定した実践方法のみが無反省に教条化していくことへの警戒があるとも見て取れる。

　この特別な謝辞の最初に記されているデューイは、世界的に子育てや教育の原理へ多大な影響を与えてきた。こうした言及には、理論と実践とが分裂し、固定した実践方法のみが無反省に教条化していくことへの警戒があるとも見て取れる。

　生活や家庭における役割の固定化は、ケア行為の前提そのものに関わる。たとえば、子育てにおけるケア行為へと密接に関わる「**母性**（motherhood）」に内在する、「母が子育てやケアをすべきである」という行為規範の固定は、母自身が疾病、障害、貧困、その他、様々な要因に直面することにより、ケアする母が当事者へと容易に変転していって、母と子どもが共にケアの対象者になってしまうという危機的な状況に対応できない。しかも、母が子どもをケアす

る援助者であるべきとする厳しい徳性は、「助けを求める」という申請を恥じとし、「母が子どもを育てるという『責任』を果たせていない」という圧力を生み出しかねない。申請ができる人のみを救済するという「申請主義」は、生活保護の受給にみられるように、深く現場と実践の社会福祉に内在している。

近現代の日本においては、**山川菊栄**が、歴史的な道徳の学びの場でもあった茨城の水戸から学びを深めて、母親や子育ての行動規範に批判的な考察を加えた。それは、母による役割の固定、通例の道徳による行為規範の自明性を反省し、「**公共**」における徳の在り方を脱構築的に構想した。「母性」の在り方をめぐっては、戦前期から平塚らいてう、与謝野晶子、山川菊栄、**山田わか**が母親、子育て等をめぐる**母性保護論争**（1918〜1919 年）によって、わが国の「母性」概念の形成に影響を与えた。とりわけ、母子福祉やケアの分野は、山田わかが保育園や母子寮の建設などに関与しながら、戦時国家、戦時の日本やドイツのナチズムとの結びつきを強め国家の強調と母子愛や家族を崇拝しており、現代にいたるまで生活やケアの在り方へ重要な教訓を与えている（望月他、2018）。

戦後においては、労働省婦人少年局の誕生から**男女雇用機会均等法**（1985 年制定、1986 年より施行）の制定に至る系譜において、働く女性の子育て、保育、介護等、生活や家族におけるケアの行為規範の在り方に影響を与えている。今日では、**男女共同参画社会基本法**（1999 年制定、同年施行）など、家族と社会における**共生社会**や**多様性**の在り方が、一層に重要なテーマとなっている。

歴史をふりかえると、子育てとケア、それをどう実践をしていくべきかという道徳の変化が大きく、原理と実践における正統（orthodoxy）な学びとは何か、自由な学びの在り方を省察する重要性が見出される。近年の教育にかかわる「学び」の研究は、先端的な教育技術や科学だけでなく、原理や歴史にかかわる学びの深い省察が問われているのである。私たちは今、「母」、「父」、「子ども」、あるいは「人間」について、どのようにして生命の尊厳、人権の擁護を捉えていけるだろうか。

学習指導要領に見られるように、カリキュラム上の基本的な理念は「生きる力」が通底している。子育てとケアの学びは、その起点に生存権、生存を重要

な理念として布置し、よりよく生きていく（well-being）ことへとつながっていく。社会福祉と教育の理念は、生きていく（being/living/Eros）という、人間の最も基本的な生存にかかわっているのである。このような「深い学び」には、省察が求められるが、他者への援助実践を反省して自分自身をも回帰的に学ぶことができる可能性を有しているともいえよう。人を助けることや生きていくことが芽生えていく、自由で魅力ある学びが望まれる。

【引用・参考文献一覧】

・秋田喜代美・箕輪潤子・高櫻綾子「保育の質研究の展望と課題」『東京大学大学院教育学研究科紀要』47、2008、pp.289-305
・柏木恭典「『実践』と『理論』に関する解釈学的研究——1970 年代の H.G. ガダマーの解釈学に基づいて」『理論心理学研究』7-2、2005、pp.89-103
・倉橋惣三『育ての心』刀江書院、1936
・倉橋惣三『幼稚園真諦』フレーベル館、1953
・小玉重夫「教育における遂行中断性・序説」東京大学大学院教育学研究科教育学研究室『研究室紀要』35、2009、pp.1-8
・佐藤学『学校改革の哲学』東京大学出版会、2012
・全国保育士養成協議会編『保育実習指導のミニマムスタンダード——現場と養成校が協働して保育士を育てる』北大路書房、2007
・ハンナ・アーレント、大久保和郎・大島通義・大島かおり訳『全体主義の起原』（全 3 巻、新版）、みすず書房、2017
・ハンナ・アーレント、ロナルド・ベイナー編集、仲正昌樹翻訳『完訳 カント政治哲学講義録』明月堂書店、2009
・平野昭・西原稔・土田英三郎編著『ベートーヴェン事典』東京書籍、1999
・福島智「東京大学平成 19 年度入学式祝辞」（http://www.u-tokyo.ac.jp/gen01/b_message 19_03_j.html）（2017.12.01 閲覧）
・日本心理職協会・現代 QOL 学会（https://www.academyqol.org/）（2022.01.23 閲覧）
・中野啓明・立山善康・伊藤博美編著『ケアリングの現在——倫理・教育・看護・福祉の境界を越えて』晃洋書房、2006
・中邑賢龍・福島智編著『バリアフリー・コンフリクト——争われる身体と共生のゆくえ』東京大学出版会、2012
・ミシェル・フーコー、中山元訳『真理とディスクール——パレーシア講義』筑摩書房、2002
・望月雅和編著、能智正博監修／解説、大友りお・櫻坂英子・森脇健介・弓削尚子『山田わか 生と愛の条件——ケアと暴力・産み育て・国家』現代書館、2018
・望月雅和「戦後日本における働く女性と子育てをめぐる一考察——労働省婦人少年局の展

開を契機として」『日本経営倫理学会誌』18、2011、pp.223-233

・Dewey, J. *Experience and Education.* Free Press, 1997. Originally published in 1938

・Finlay, L. *Phenomenology for Therapists: Researching the Lived World*, Wiley-Blackwell, 2011

・Garrison, J. *Dewey and Eros: Wisdom and Desire in the Art of Teaching*, Information Age Publishing, 2010

・Germain, C. B. *Social Work Practice in Health Care: An Ecological View.* Free Press, 1984

・National Association of Social Workers（http://www.naswdc.org/）［accessed 2013-1-16］

・Mayeroff, M. *On Caring.* HarperCollins Publishers, 1990. Originally published in 1971＝ミルトン・メイヤロフ、田村真・向野宣之訳『ケアの本質——生きることの意味』ゆみる出版、1987

・Rorty, R. *Essays on Heidegger and Others: Philosophical Papers, Volume 2.* Cambridge University Press, 1991

・Schön, D. *The Reflective Practitioner: How professionals think in action.* Temple Smith, 1983＝ドナルド・ショーン、柳沢昌一・三輪健二監訳『省察的実践とは何か——プロフェッショナルの行為と思考』鳳書房、2007

Schön, D. *Educating the Reflective Practitioner: Toward a New Design for Teaching and Learning in the Professions*, John Wiley & Sons, 1987＝ドナルド・ショーン、柳沢昌一・村田晶子監訳『省察的実践者の教育——プロフェッショナル・スクールの実践と理論』鳳書房、2017

・Yamakawa, K. *Women of the Mito Domain: Recollections of Samurai Family Life*, trans. Nakai, K. W. University of Tokyo Press, 1992; repr. Stanford University Press, 2001

※本章は次の研究論文を初出として、本書に使用するため全面的に改めて執筆されている。
　Cf. 望月雅和「福祉教育における対人援助原理——省察的実践のために」『千葉経済大学短期大学部研究紀要』9、2013、pp.55-67

事項索引

あ 行

ICT　158
アクティブ・ラーニング　107, 159
新しい学力観　156
生きる力　122, 157, 172, 184
いじめ　86
ESD　29, 30, 32
インフォームド・コンセント　74
SDGs　29, 30, 116
NPO　135
エリザベス救貧法　167
LGBTQ+　114
OJT　148
親の指導の尊重　16

か 行

カウンセラー　64, 65
学社融合　156
学習指導要領　184
学習障害（LD）　90
学習到達度調査（PISA）　157
学制　103
学校・家庭・地域の連携による教育支援活
　動促進事業　130
学校教育法　105
学校令　104
感情表出の許容　70
規範　92
基本的人権の尊重　105

虐待　86
客観性　25, 59
教育機会確保法　84
教育基本法　105, 106, 153
教育勅語　105
教育令　103
共感的理解　69
近代家族　39
近代憲法　97
形成的評価　147
健全育成　122, 126
憲法　95
権利（行使の）主体　15, 33, 117, 180
公認心理師　66
国際人権規約　102
国際法　97
国民学校令　105
国民主権　105
個人情報の保護　159
子ども・子育て支援法　109, 120
子どもの意見の尊重　15
子どもの意見表明権　108
子どもの権利条約　14, 108
子どもの最善の利益　15
個別化　70
コロナ禍　34

さ 行

参画と協働　160
ジェンダー　111, 115

自己決定　74

自然権　99

実践知　27

持続可能な開発　160

シティズンシップ　160

児童委員　137

児童館　131

児童相談所　122

児童福祉（の）施設　124

児童福祉法　108

自閉スペクトラム症（ASD）　89

市民参加　160

社会権　102

社会福祉事業　121

社会福祉法人　121

社会福祉六法　107, 165

自由権　101

主体的・対話的で深い学び→アクティブ・

　ラーニング

受容　70

生涯学習理念　153

消極教育　45

女性差別撤廃条約　116

事例研究　176

人権　30, 98, 99

申請主義　180

身体障害者福祉法　110

スティグマ　180

生活の質（QOL）　166

生活保護法　108, 165

生活を生活で生活へ　166

生存権　102, 165

世界人権宣言　102

セクシュアリティ　114

世代間交流　138

全体主義　179

総括的評価　147

ソーシャル・インクルージョン　120

ソーシャルワーカー　65

た　行

第一波フェミニズム　115

第二波フェミニズム　116

待機児童　127

確かな学力　158

男女雇用機会均等法　116, 184

男女共同参画社会基本法　116, 184

地域子育て支援拠点事業　123

小さな大人　38

地球市民教育　160

知的障害者福祉法　110

注意欠如・多動症／注意欠如・多動性障害
　90

直観教授　48

チーム学校　77, 79

統制された情緒的関与　70

特定非営利活動　136

特定非営利活動促進法（NPO 法）　135

特別支援教育　106

な　行

人間の尊厳　94, 117

認知行動療法　90

認定こども園法　109

ノーマライゼーション　106, 120, 177, 181

ノンフォーマルエデュケーション　148

は　行

発見学習　54

バリアフリー　177, 181

反省的実践者　175

非審判的態度　70

秘密保持　71

フェミニズム　115

フォーマルエデュケーション　148

複合的主体　179

福祉国家　102

福祉事務所　122, 165

複数性　179

不登校　83, 149

プログラミング教育　159

平和主義　105

保育所保育指針　112

放課後子ども教室推進事業　129

放課後児童クラブ運営指針　128

放課後児童健全育成事業　127

法の支配　98

母子及び父子並びに寡婦福祉法　111

ポストモダニズム　117

母性　183

母性保護論争　184

ボランティア　121, 135

ま　行

民生委員　137

無条件の肯定的配慮　69

モニトリアル・システム　42

や　行

誘導保育　166

豊かな心　158

ゆらぎ　24, 180

幼稚園教育要領　113, 114

幼保連携型認定こども園教育・保育要領
　　113, 121

ら　行

立憲主義　98

臨時教育審議会　107

臨床心理士　66

老人福祉法　110

わ　行

ワーク・ライフ・ソーシャル　161

ワーク・ライフ・バランス　161

人名索引

あ 行

アーレント　179
アリエス　38
アリストテレス　93
アルチュセール　117
イーガン　71
伊藤博文　104
ウィリアムソン　79
エリクソン　88
大河内一男　170

か 行

カント　46, 94, 179
城戸幡太郎　166
倉橋惣三　166
コメニウス　44
コンドルセ　41

さ 行

ショーン　26, 175
スーパー　80

た 行

デリダ　117
デューイ　17, 40, 51, 169, 169, 183

な 行

ノディングス　167

は 行

バイステック　69
ハッチンス　151
バトラー　116
フーコー　117, 179
プラトン　93
フランクル　167
ブルーナー　53
フレーベル　41, 48
フロイト　81
ペスタロッチ　41, 47
ベック　90
ヘルバルト　49
ホッブズ　99

ま 行

メイヤロフ　166, 168, 171, 182
森有礼　104

や 行

柳田国男　139
山川菊栄　184
山田わか　184
ユング　81

ら 行

ラングラン　150
ルソー　45, 100, 115
ロジャーズ　80, 167, 171
ロック　44, 100

執筆者紹介

(執筆順、敬称略)

望月　雅和 (もちづき　まさかず)	東京大学先端科学技術研究センター協力研究員、小田原短期大学保育学科特任准教授、現代 QOL 研究所主席研究員・教育研究局長、早稲田大学ジェンダー研究所招聘研究員、日本心理職協会専務理事、日本子育て学会研究プロジェクト推進委員会委員長ほか	編者、第 8 章
安部　芳絵 (あべ　よしえ)	工学院大学教育推進機構教職課程科准教授	第 1 章
吉田　直哉 (よしだ　なおや)	大阪公立大学大学院現代システム科学研究科准教授	第 2 章
金髙　茂昭 (かねたか　しげあき)	放送大学非常勤講師、長野県スクールカウンセラー、元放送大学客員教授	第 3 章
鈴木　淳子 (すずき　じゅんこ)	白百合女子大学生涯発達教育研究センター研究員、東海大学非常勤講師、桐蔭横浜大学非常勤講師、横浜女子短期大学非常勤講師	第 4 章
森脇　健介 (もりわき　けんすけ)	拓殖大学政経学部ほか非常勤講師、早稲田大学ジェンダー研究所招聘研究員	第 5 章
秋山　展子 (あきやま　ひろこ)	秋草学園短期大学地域保育学科准教授	第 6 章
西村美東士 (にしむら　みとし)	若者文化研究所代表、元聖徳大学文学部教授	第 7 章

子育てとケアの原理〔新版〕

2018 年 4 月25日　初版第 1 刷発行
2021 年 3 月30日　初版第 2 刷発行
2022 年 4 月15日　新版第 1 刷発行

編著者　望　月　雅　和
著　者　西　村　美東士
　　　　金　髙　茂　昭
　　　　安　部　芳　絵
　　　　吉　田　直　哉
　　　　秋　山　展　子
　　　　森　脇　健　介
　　　　鈴　木　淳　子
発行者　木　村　慎　也
印刷　新灯印刷／製本　川島製本所

発行所　株式会社　北樹出版
URL：http://www.hokuju.jp

〒153-0061　東京都目黒区中目黒1-2-6
TEL：03-3715-1525（代表）　FAX：03-5720-1488

© 2022 Printed in Japan　　　　ISBN978-4-7793-0688-4

（落丁・乱丁の場合はお取り替えします）